我在故宮修文物

蕭寒 主編
綠妖 撰稿
嚴明 攝影

一輩子很短，
也許只夠做一件事。

序　擇一事，終一生　蕭寒　008
推薦序　專注在當下　廖慶松　021

壹——鐘錶室——

1-1　**安靜，讓時間動起來**——鐘錶修復師　018
1-2　修文物，是與前任工匠的對話——王津　028

貳——銅器室——

2-1　**恢復原貌，千年風華再現**——銅器修復師　046
2-2　我修的文物，我都喜愛——王有亮　054
2-3　永遠保有敬畏心——惲小剛　074

參——裱畫室——

3-1　**為古畫如履薄冰**——裱畫修復師　086
3-2　磨刀刮紙就是磨你的性子——單嘉玖　096
3-3　看一個人水準高低看他打的糨——徐建華　114
3-4　磨刀的過程，其實就是在磨你的性子——楊澤華　140

肆 — 摹畫室

4-1 **生命濃縮於方寸之間——臨摹師、摹章師** 162
4-2 個性都收起來，完全按古畫走——郭文林 172
4-3 利益是暫時的，傳承是恆久的——巨建偉 200
4-4 規矩的第一條就是要守住寂寞——沈偉 214

伍 — 木器室

5-1 **反覆琢磨，為傳統延續生命——木器修復師** 230
5-2 木工來源於生活，也接近生活——史連倉 238
5-3 文物的價值不在於修復，而是傳承——屈峰 246

陸 — 漆器室

6-1 **格物致知，尋得安身立命之所在——漆器修復師** 262
6-2 希望我做的器物能傳給下一代——閔俊嶸 268

尾聲 296

跋 跟隨他們的旅程 綠妖 298

序

擇一事，終一生

蕭寒

大歷史，小工匠。擇一事，終一生。

幾年前，我們開始有一個心願，希望這些一直深藏在北京故宮幽深角落、不為人知的修復師，有機會被大眾知曉。他們是傳統中國四大階層「士農工商」中唯一傳承有序的「工」的階層，他們也有著中國人樸素的稱呼——「匠人」。於是從那時開始，我的合作夥伴，也是紀錄片《我在故宮修文物》的製片人雷建軍老師，帶領他的學生們多次深入故宮調查研究，陸續五年有餘，編寫了近十萬字的田野調查報告。

一切都是機緣，似乎這件事情總是會兜兜轉轉讓我與它同行。一邊準備一邊等待，甚至眼看一些師傅退休又返聘，我們的鏡頭也遲遲未能靠近他們。以致在北京故宮博物院九十周年院慶前夕，徐歡老師告訴我們可以拍了我都有些覺得突然。作為獻禮，我們的申請得到批准，鏡頭終於架在了師傅們的工作臺前。

拍攝和後期製作歷時一年。在二〇一六年年初紀錄片《我在故宮修文物》於央視九套首播，隨後在網路爆紅，獲得近億次的點擊量，豆瓣評分更是高達九點四。數萬條鼓勵和讚許的評論讓我們又驚又喜，自然也有一點點惶恐。究竟是什麼打動了人們？讓大家為一部紀錄片「燃」了起來。答案也許就是木心先生的那首詩：〈從前慢〉。從前的日子過得慢，一輩子只夠愛一個人，一生只能做一件事。正是我們被慣性和無明推得快速甚至踉蹌的腳步突然讓我們意識到，認真地慢下來是如此可貴。或許我們也都曾想成為那種「擇一事、終一生」的人，但走著走著，現實卻總想把我們變成自己曾經討厭的樣子。

對於故宮這個題材來講，它是值得被呈現在大銀幕上的。人們應該在巨大的電影銀幕上安安靜靜地觀看一部紀錄片，而不是急匆匆地去看一部說著「慢」的電影。這一美好願景的實現有賴於一群被片子打動的朋友：

在家裡煮麵時偶然看到電視上播放《我在故宮修文物》，立馬被題材所吸引的姚謙老師，雖然那碗麵糊了，但他最終成為了我們電影的音樂製作人；

當看到老師傅王有亮感嘆歲月的飛逝、王津看著他修復過的鐘錶就像看自己孩子般喜悅的場景，廖慶松老師被深深打動，一拍即合成為了這部電影的剪接指導；

還有剪接師馮章順、主題曲演唱者陳粒、鋼琴伴奏黃裕翔、音樂創作劉胡軼……

在那些冷冰冰的古董、幾百上千歲的文物背後，其實有著非常生動的故事——像去鄰居家串門一樣，隨口來一句「我去壽康宮打個水」；在院子裡懶洋洋地逗逗「御貓」的後代；又或者在午休的時候騎電動車穿過層層宮門去外面抽根煙……正是這些逗趣的日常生活，才讓這群身懷絕技的人鮮活起來。

但是在拍攝過程中，還有很多非常精彩的故事沒有被記錄到鏡頭裡。錯過了，你會覺得很遺憾，但這對於紀錄片本身，是沒有辦法解決的問題。

又是那樣的剛好發生，在大電影的製作過程中，這本書的簡體版編輯楊曉燕老師找到我們，希望能用文字來呈現更多關於紀錄片本身和那些拍攝的背後故事，於是她又促成了這本書——綠妖的文字和嚴明的圖片。

快和慢、張和弛本來是相對的，願這本書能夠建構一種「快、慢」的和諧，「張、馳」的有道。沒有人告訴過我們，生活到底應該過成什麼樣。但希望每一個打開這本書的人，都能在這裡尋找到心底的一點點平靜。在被庸碌現實俘虜之前，在被瑣碎生活招安之後，還有能力為那個用爛的詞——「情懷」而稍稍動容。

一輩子很短，也許只夠做一件事。再次感恩所有愛這部電影的朋友們！

推薦序

專注在當下

廖慶松（口述）

「工匠精神」是什麼？最近幾年很多人在討論。可能是冥冥中的安排，前陣子，導演蕭寒打電話問我能不能剪《我在故宮修文物》紀錄片的電影版，一聊之下，知道這部片是紀錄一群文物修復師的日常，引起了我的興趣；我們也趁導演來台灣參加兩岸電影節，見面談下這次的合作。

當時有一位剪接師馮章順已經把片子初剪完成，我看過後覺得可以再修改，就約好時間一起進行。我和他就像夥伴一樣，花了一整個禮拜從頭到尾慢慢看、慢慢剪（主要是他操作）。原本的紀錄片共三集，用了大量旁白跟很有氣勢的配樂，企圖營造宏偉的氣氛，但要改編成電影版，我認為應該還原到「人」的本身，以及那種樸素的情感。

因此，電影版改變的就是敘事型態，回歸為較文雅、就事論事的調性；拿掉旁白，讓修復師自己說話，表達他們的工作與生活，讓觀眾去接近他們；音樂也只配上簡單的鋼琴曲，比較細膩、不誇張。

電影在二〇一七年休士頓國際電影節獲得「紀錄片評委會特別雷米獎」，導演和劇組都很開心。在剪接上，其實我也只是將它拉回「人」的層次，世界性地看這部片，畢竟，有這樣一群人不為名利，願意花幾十年從事修復工作，每天固定做同樣的事，這才是可貴之處，也正是我希望強調的內在精神。

修文物也是修行，做任何事都一樣。就像我剪片，剪到最後其實是片子在考驗我能完美到什麼程度、把自己磨練到什麼境界，磨練得愈精深，愈能把片子看清楚。所以，片子剪得好壞，事關剪接它的人的所有狀態；而修復師修文物，也在修人品，修到最後變成他身體的一部分，包括他交付在上面的專注、敬業和堅持。我對電影裡的幾個畫面印象非常深刻：一個大型銅鐘作品在修復完成後，叮叮噹噹敲鐘的畫面，我都看傻了；一位修復師談他和文物相處的過程，那幾乎已到了哲學層次——他說他們其實是被文物教育著。

我有打坐的習慣。打坐會讓人完全平靜，專注在呼吸，腦中雜亂的思考慢慢沒有了，就像五彩的螢幕，慢慢一點一點擦去，最後只剩空白，這就是「空無」的境界。「空無」能讓人客觀地看事情，當你腦中沒有那些形形色色，看事情時就如禪所說的「如實照見」，像照鏡子一樣，能客觀顯示出你看的客體，沒有你自己加上的、主觀的、轉型的詮釋。受過這種訓練的人，因為思緒裡沒有夾雜太多的私人利益與情感，判斷事情會相對準確。禪裡常說，沒有過去，沒有未來，只有當下，這就是「空」的概念。「空」的時候沒有自我，就不會去解釋一些與自己有利益的關係。回頭看那些文物修復師，他們某些人就是這樣。他們的臉有一種安靜、乾淨的氣質，人品端正、簡單不複雜，例如鐘錶修復師王津師傅，就是那樣平平靜靜的，恰如其分地反映了工作上的歷練。

透過他們，我確實也會想到自己做剪接幾十年來的人生。我從年輕時就選擇做為剪接師，期間歷經電影的沉寂，一直到現在，整個過程就像在修行。最初當然是喜歡電影才會入行，而且想表現、愛表現，但到後來我才發現，並不是想表現就可以做得好。我跟那些修復師的心態類似，最終就是想創作出這作品最完美的一面，當然，因為有導演的存在，我也需要透過作品和導演作深度的溝通與了解。對我來說，導演像生母，我像奶媽或養母，就算這樣，也不能因為我們創造了它，就可以要它變成我們想像的那樣；不是我認為它應該變成什麼，而是應該由它來告訴我，它應該是什麼樣子。最重要的是，還原這片子本身既有的樣貌與內在。

我會修禪打坐，或許是因為我需要一個更客觀的心態去穿透片子應該有的樣貌。很多次經驗可以證明，當我們很自我的時候，以神的角度、以造物主的角度去看片子，好像自己是創造它的人的時候，通常我們是被這影片修理的。這個自我常做出錯誤的判斷，後來才發現影片根本和我們想像的完全不同。以工匠精神來說，你要學的是怎麼跟你面對的東西溝通，怎麼去了解它，怎麼讓它來和你對話。電影的剪接也一樣，當我跟它做了非常深度的溝通以後，也許在某種情形下，它會告訴我它應該是什麼樣貌，我照那個樣貌把它完成就好了。

我在這群文物修復師身上，看到了什麼是真正的職人。他們從年輕時就進故宮做修復工作，薪水不高，工時也長，幾十年如一日；他們在磨練的過程中學會放下自我，沒有一直想著「我」要如何、「我」要得到什麼，只是專心做好眼前的事。

如果要為他們的故事下一個註解，我想「專注」是所有動力的開始、最重要的起步動作。台灣也有很多像這樣的職人，在這本書裡，可以看到一些和台灣人很像的身影。專注在當下，透過心與手的磨練，透過性格上、動作上的相似，到最後就會達到和他們一樣的狀態，而這就是所謂的「工匠精神」。

（巫芷紘／採訪記錄）

壹

鐘錶室

1-1 安靜，讓時間動起來——鐘錶修復師

早上七點鐘，一〇三路公車上，突然有一個姑娘穿過車廂走到最後一排座位前面：「您是王老師嗎？對不起，看您半天了，我實在憋不住，馬上就下車了……能不能合個影？」

故宮鐘錶修復師王津因為紀錄片《我在故宮修文物》的走紅，五十五歲的他意外成為「男神」「網紅」。在驟然降臨的聲譽面前，他異常淡定，仍然每天坐公車上下班，遇到合影就坦然接受。這份定力是近四十年文物修復生涯帶給他的，也是許多九〇後喜歡他的原因。

鐘錶是故宮博物院中非常特殊的藏品，堪稱世界博物館同類收藏中的翹楚。清朝皇帝酷愛鐘錶收藏，順治、康熙、乾隆三位皇帝嗜愛鐘錶的程度，一代勝過一代。西方工業革命以後，傳教士到中國來，他們鑽研皇帝的喜好，把當時最新、最好的鐘錶送到宮裡，形成了一類獨特的收藏。當時歐洲的鐘錶工匠們，為了大清皇帝的喜好，千方百計在鐘錶上動腦筋：車馬人物、花鳥蟲魚做裝飾，日月星辰透過發條變成斗轉星移。清宮的一千多件鐘錶藏品，製作年代從十八世紀

到二十世紀初，既有英、法、瑞士等名家製作，也有廣州生產的精品，以及皇帝設計由「做鐘處」完成的「御製鐘」，製作精美，功能複雜，代表了當時鐘錶製造的最高水準。到乾隆時期，清宮鐘錶的製作形成一條從西洋傳教士、工匠到做鐘太監的非常穩定的基礎梯隊，這些能工巧匠在做鐘處共同工作，技術上不斷融合，形成了故宮現有的古代鐘錶修復技術。

鐘錶的修復技藝是唯一在故宮裡一直綿延下來、沒有斷層的非物質文化遺產。由於鐘錶都是實用器，需要持續維護，直到一九二四年，馮玉祥的部下將末代皇帝溥儀趕出宮時，鐘錶匠人依然留在紫禁城內。一九二五年北京故宮博物院成立，原做鐘處的工匠徐文璘成為第一代宮廷鐘錶修復大師，培養了徐芳洲、白金棟、馬玉良、陳賀然四位弟子。一九七七年王津師從馬玉良。在老師傅們退休以後，王津和他的徒弟亓昊楠，如今是故宮僅有的兩位宮廷鐘錶修復師。至今，清宮鐘錶修復，已經傳了三百多年。

明末到清末是中西方文化大融合的時期，這種交流與碰撞呈現在清宮鐘錶上，是它的文飾、色彩等既非純正中國的，也非完全西洋的，因此而一變，豐富而琳琅滿目。中西融合，以一種物化的形態呈現，包括它的修復理念，中與西之不同也是涇渭分明。西方尊重大師作品，在整個修復過程中一定保持大師的思路，以及整件作品的完整性。而這一點，並不是清宮造辦處工匠考慮

的重點。他們會把大師作品拆分、重組，對它進行改造，使它能夠適應皇帝的需求。看似是東西方工匠的不同，卻也呈現兩種文化的差異。

王津延續了故宮鐘錶修復的傳統。二〇一一年，瑞士某鐘錶品牌在大陸舉辦展覽，帶來了十八世紀鐘錶大師雅克・德羅父子製作的寫字人鐘[1]（又名「作家」鐘），運輸過程中鐘錶出現故障，發條斷裂。按照西方修復理念，發條需要專門工具做，但寫字人鐘隔天就要在新聞發布會上表演，顯然來不及。主辦方找到故宮請求幫助，王津緊急受命。到了場地，他看了很長時間，誰都沒有想到他會用那樣一種方式來解決問題：用零點五號釣魚線代替發條，借助餘弦力度，可以起到發條的作用，寫字人鐘開始書寫；再比如，某宮廷鐘錶機芯裡的氣囊原料為進口羊皮，輕薄如棉紙，時間久了原料用光，可是展覽迫在眉睫，怎麼辦？王津用以修復氣囊的，居然是韌度很強的民國紙幣，「這個簡直是太有意思了。」故宮鐘錶修復的每一個步驟，都包含了當時人們對鐘錶機械的想法、工匠的想像力，整個加起來折射出民族工藝的靈活性。打開一座鐘，就是與歷代的工匠對話，你看得出他們的手藝高低，態

1　寫字人鐘，英國工匠威廉森專為清宮製作。十八世紀作品，鐘型為銅鍍金四層樓閣，底層的寫字機械人是此鐘最精彩、結構最繁複部分。寫字人為歐洲紳士裝扮，單腿跪地，一手扶案，一手握毛筆，將毛筆蘸墨後開動，寫字人便在紙上寫下「八方向化，九土來王」，字跡工整有神，為故宮藏品中的扛鼎之作。——關雪玲《日升月恒——故宮博物院藏清代鐘錶》，紫禁城出版社，二〇〇九年。

度是謹慎老實還是敷衍糊弄。就像民歌，承載著一代代人的悲歡離合，這些文物所承載的大量的歷史資訊，借著修復工藝，也一代代地保存了下來。

鐘錶修復既有傳承，也有創新。和清宮工匠的不同在於，第三代修復者的王津和第四代的亓昊楠擁有更開闊的眼界，他們不斷和國外的鐘錶製作者、鐘錶修復者、鐘錶歷史研究者交流，看似一個簡單的修復，實際上它的參照體系和知識體系已跟過去完全不同。他們的成長，也是故宮博物院不斷與世界接軌的歷程。中國和世界的融合和碰撞仍在繼續，故宮的鐘錶修復工藝，也在保留傳統的基礎上，發生著微妙的變化。

而一出故宮，是另一個世界。

這是二十一世紀的中國，經過三十年的高速發展躍居世界第二大經濟體。「亂世黃金，盛世收藏」，收藏行業進入空前繁榮時期。手藝人王津與收藏家黃嘉竹形成一組有意思的映照。那是一個民間的鐘錶展覽會，收藏家與品牌商蜂擁，現場富麗堂皇如聯合國會場。黃嘉竹是臺灣著名鐘錶收藏家，會場上，眾人爭睹他收藏的維多利亞女王送給愛女的懷錶，一片讚嘆。聽說王津是故宮鐘錶修復師後，他反覆追問故宮有沒有這樣的錶，聽到否定的答案後，黃嘉竹心滿意足。

收藏家重視的，是女王簽名為懷錶帶來的附加價值，這不是整日與發條、齒輪、壞掉的鳥翅膀打交道的手藝人王津看重的。故宮的皇家收藏俱是世界各地頂級孤品，過眼、經手都是文物，但又日復一日沉浸於精確到零點一毫米的機械修復中，這為王津這樣的修復者帶來一種超脫的精神。事實上，與那個富麗堂皇會場中大多數人相比，王津都顯得不同，他像用清水洗過，格外樸素。

超脫於物質層面，專注於工藝的價值。盛世收藏的喧囂，對照出手藝人的本真，所以面對收藏家也好，富麗堂皇的商業會場也好，王津既不逢迎也不失落，他知道自己是誰。這大概是故宮中一個普通的鐘錶修復師成為網路男神的真正原因：在塵土飛揚萬眾創業的年代，在網路把成功者更粗暴更快速地推到我們面前的成功學的時代，人們內心仍然渴望一些更加長久不變的事物，像海水泡沫下的岩石。王津在故宮西三所鐘錶室的這間屋裡度過了近四十年，像他這樣的修復師在故宮還有很多，他們的職業生涯，一輩子只做一件事的定力與專注，隱隱安慰了這個變幻莫測的時代。

從神武門進，順著建福宮西牆拐進一個長夾道，穿出去，就到了文保科技部所在的西三所，這是故宮博物院整個工作區唯一設有門禁、須刷卡進入的部門。

西三所與壽康宮只有一牆之隔，這個在很多宮廷劇中屢屢出現的院落，是野史和傳說中清朝冷宮的所在地。因為年久失修，灰瓦紅牆慢慢失去了原有的光澤，但是不經意間，棟樑上明代的彩繪得以保留，與清代的明豔繁複相比，它們更為簡約清麗。

小院裡綠植蔥蘢，有木器組史連倉父親種下的棗樹，金石組惲小剛種的君子蘭，漆器組閔俊嶸的漆樹，摹章組沈偉的玉米和茄子，以及清代的杏樹與棗樹。小院也生態豐富，文物部門不加班，五點下班以後，巨大的空間留給了動物，有興許是御貓後代的流浪貓、黃鼠狼、還有木器組收養的各種鳥。每天，青銅器修復師王有亮和摹章高手沈偉自覺地擔當起餵貓職責，連《我在故宮修文物》的劇組人員都知道，想逗貓，可以去摹畫室所在的第四進小院找找看；而木器組屈峰雖貌似委屈地抱怨收留了許多「別人養著養著不要了送給我們，最後慢慢養著養著就成負擔了」的動物，但下班時他不會忘記拎鳥籠回屋，否則「第二天你可能見到的只有幾根毛」。

每年五、六月份，御杏樹上的青杏慢慢變成了甜軟的蜜黃色，年輕人暗暗興奮起來：又可以打杏了。但二〇一五年是故宮博物院建院九十周年大展，每個組都領有大量修復任務，滿樹的杏子熟了無人採摘，密密麻麻地落了一地，引來黑壓壓的螞蟻。一個清晨，上班前的一刻鐘，木器組的人領頭，辦公室的姑娘拿出了蓋文物的強韌度白紙來接著，工人登上梯子打下來許多黃杏。大家嬉笑著來分，沒趕上的還特意來要。

這是西三所難得的喧聲笑語時刻，隨著八點鐘的到來，這裡像被施了魔法的空間，時間、人聲，都凍結起來。

「靜」，是這裡給人最深的印象。在鐘錶室採訪王津，除了我們的說話聲，就只有自鳴鐘整點報時的鐘鳴，悠揚，悅耳。他的徒弟亓昊楠安靜得彷彿不存在，雖然他明明在房間另一隅修理鐘錶。「靜」，變成一個整體的氣場，人不由自主也靜下來，感覺大聲說話、用力走路都顯得浮躁。那一瞬，你突然明白這裡面的人反覆提到的「磨性子」、「靜下心」、「沉住氣」是什麼意思。任何一門宗教都把修靜入定、獲得專注作為入道的途徑，靜者心不妄動，專注已包含身心合一，修道如此，修文物何嘗不如此。

技藝容不得欺騙，技藝裡沒有捷徑。一座宮廷鐘錶層層組裝，上千個零件必須從最底下開始每一個零件都嚴絲合縫，錯零點一到兩毫米都可能導致最後的整體罷工；一件青銅器碎成毫無規則的一百多片，有一塊碎片位置不對都拼不起來；在三伏天的深夜，一個漆農忙碌一晚上只能採漆八兩，「百里千刀一斤漆」；修復太和殿龍椅用的魚鰾膠，年輕小夥兒輪流著一刻不停地砸，一天下來頂多能砸半斤；一塊木雕要手持穿著牙籤的銼草手工打磨三遍以上才會有圓潤細膩的歲月感；古字畫修復揭命紙有時靠指搓，一幅畫揭一、兩個月，過程枯燥，只能拚耐心；臨摹一幅畫的週期是一年起，一個臨摹師一輩子臨不了幾張很成功的作品……手工藝是時間的藝術，修復師的世界安靜而誠實，雙手與心的創造，流露出的不只是高超技巧，還有人手的溫度，心的高潔。正心誠意才能做出正確工藝，格物致知深入物的本質，當匠人的本真與物的本質相遇，物我兩忘，日復一日，修繕文物，擦亮器具的過程中，他們自己的面貌氣質也發生改變，彷彿有什麼在他們身體內部也被日復一日地擦亮。他們沉入工匠無名無我的廣闊時空中，面目變得沉靜，在此時空中，個人變得渺小，但以另一種方式接近永恆。

1-2

修文物，是與前任工匠的對話

王津

故宮裡的鐘錶修復從清代傳下來一直沒斷。因為鐘錶一直在使用，皇上被趕出去了，維修保養的人還是要有，所以徐文璘老先生一直在。他兒子是徐芳洲，在東華門開著一個修錶鋪，解放後跟著父親也進了故宮。我的師父叫馬玉良，是從故宮警衛隊轉過來跟老先生當學徒的。

我爺爺在故宮圖書館工作，一九七三年奶奶去世後，我跟爺爺一起生活，照顧他晚年。一九七七年我十六歲，初中畢業，那會兒畢業好像還是要上山下鄉[2]，就去插隊[3]。

2 指一九五五年至一九七〇年代中國政府組織城市知識青年（簡稱「知青」）到農村定居和勞動的政治運動。

3 通常是指前述中國城市知識青年「上山下鄉」的一種模式，顧名思義就是安插在農村生產隊。

十月份爺爺去世，院裡主動找我們，看我年紀小，乾脆辦個接班來故宮上班。

小時候我很少進故宮，爺爺不讓。送飯就送到北門，他出來接。那會兒老人和現在不太一樣，因為故宮裡的東西貴重，進來怕說不清。故宮重新開放後，就比較常跑故宮，替我爺爺取工資，報銷醫療費，上醫務室拿藥，一個月至少也得來個兩趟。但最多就到圖書館或北邊醫務室。沒什麼心曠神怡的感覺，覺得故宮就是一個單位。

上班前各屋轉了轉，當時鐘錶組人最少，遮著簾子擋西曬，屋裡暗暗的，就馬師父一人。跟師父聊了聊天，給開了兩個鐘錶，問喜不喜歡這一類的，我說喜歡，他說那你就回家等著。後來就來這屋了。當時不太懂，感覺別屋人都挺多的，木工室一進門六、七個人，地下全是刨花，感覺沒有站的地方。鐘錶屋安靜。我是有點喜歡安靜，你想一個十幾歲的小孩跟一個七十幾歲的人一起生活，受爺爺的影響挺大。

第一年基本上都是拿非文物練習。我們各個工作室都有一個小座鐘看時間，鐘壞了幫著修修，或者拿非文物的鐘錶練手，拆拆裝裝，看看裡面怎麼回事，誰挨著誰，怎麼拆怎麼裝的，就是練個手感。慢慢熟了，第二年開始能接觸文物類，也是比較簡單的，拆完以後找問題，為什麼不走啊，是齒輪間隙磨損大，還是齒輪有彎齒或者彎尖，基本就是這類。有大活跟著幹，打下手。修理這東西師父也沒法說這個應該怎麼幹，那個應該怎麼幹，關鍵還是自己動手，自己體會。他不會主動把我們叫過來教，說跟動手是兩碼事，聽完以後不如上手幹更直接，練得更方便。

馬師父一九三二年出生，我來時他是四十五歲，一直跟到一九九二年馬師父退休。師父對人要求挺嚴的，也不愛說話，工作時間都沒什麼交流。他人很正直。我們八點上班，師父七點半就到了。他來了可能先在這屋裡巡視一圈，看看我們的工作進展，他雖然不問你：「昨天給你一活兒你幹到什麼程度了？」但活兒都在桌面上擺著，師父能看到。我們是一個活兒利索了再幹一個，這個弄不利索，那個也別沾。我覺得他肯定心裡有數，比如我說活兒幹完了，「那行，差不多了，擱那兒吧，再拿一個新的活兒。」心裡要沒譜的話，他會說：「你幹到什麼份上了，成不成啊？」肯定要問一下。所以說我覺得早晨我們沒來之前他肯定就轉一圈看過了。現在也一樣，比方說是亓昊楠幹的什麼活兒，我有時候過去轉一圈，我也能感覺到他幹到什麼進度了。都是同行，能看出來。

下班的時候，老師傅不洗手，我們也不敢洗。原先這兒有一個盆架子，每天必須把這個水給打好了，洗手水。差一刻鐘十二點，一打鈴師父洗手，洗完手就下班了。師

父先走，我們鎖門、關燈、斷電什麼的，基本就差個五、六分鐘再走。肯定師父先走，哪能我們先走，師父關燈鎖門？打水必須得是徒弟打，哪有師父去給你提水去。家裡沒教，就是習慣，覺得就是這樣，一個傳統。也沒人說過。你看亓昊楠早上來得比較早，到這兒把水都打好了，就是這樣。

那會兒師父給你一個活兒，你老幹不出來不成，自己著急，有什麼問題自己先琢磨，實在琢磨不透再說，一般情況下不敢輕易地問，一問，這麼簡單的問題你還不知道，不是招師父說嘛。

基本功包括自己做工具。每天弄點銅絲，粗的細的，銼銷子什麼的，也是練手感，讓你掌握手工工具。現在外面有現成銷子賣，我們還是手工銼，不愛用外邊的。手工的做出來方便，而且也快。銼銷子很容易，打一個鋼貼兒，銼一個斜的，然後一削。現在有用車床削，我覺得還是手工的更好，車床弄這幾下，還得找準，勁大它就彎了，還不如手工快。

你看我們桌上，桌沿加裝一根竹條，就是為了銼東西。

修復鐘錶流程，第一步先做紀錄、照相，拍下原始情況；第二步除塵；下一步拆解；第四步清洗，清洗當中看看有需要修的，需要補的；第五步，修補；然後是組裝，一步步調試，恢復它的部分機能，最後再整體組裝。要一步步的，底層中層上層，最後總體組裝咬合。

宮廷鐘錶都是特製的，恢復演藝功能是最難的，因為它表演功能多，稍微差一點都不成，沒法湊合。有的東西差不多就行了，這鐘錶的東西差一點都不成，本身比較精密，你差一點，你要糊弄它，到最後肯定給你擱這兒了，轉不了。必須從底層開始修，就是精細地一步一步往上，最後出了問題你還好找點，要是說底下就想湊合的話，將來就麻煩了。

難度比較大的，我覺得還是前幾年修的魔術鐘[4]，東西不是特別大，六、七十釐米高，但是結構緊密，又表演又變魔術。據說原來提出過修，後來沒修，是趕上文革了還是什麼，又退回庫。聽老師傅說那東西破得比較厲害，時間長了。二〇〇七年跟荷蘭合作，荷蘭看見它想展覽用，我就給它提出來，修了將近一年。

當時荷蘭也參與修，他們修的是比較簡單的，幾個小的，我們這個魔術人鐘他們沒參與。一開始也想修，小道消息是他們想請俄羅斯專家修，但俄羅斯人開價比較高。而且那會兒也沒決定讓他們修，因為這種複雜鐘錶很稀少，他們只拿走幾件小東西，像升降塔鐘，故宮升降塔挺多的；魔術鐘有代表性，我覺得應該咱們自己修。

它一共有七套傳動裝置，走時一套，音樂一套，鳥叫一套，開門一套，底下連動變魔術一套……每一套，都有自己的運轉模式，這七套還有一個連接，不能說這門沒開就開始變魔術，應該是門打開同時變魔術；開這個碗，出什麼樣的球；什麼情況下，中間碗一開，小鳥飛出來；都是要有時間連動性，錯一個都不行。

開始修時，也沒有圖紙，一步步拆下來一大片東西，拆得挺散的。發條不行了，配

4 魔術鐘，瑞士十九世紀作品，鐘型為建築式樣，建築內有變魔術表演，上滿弦後音樂起，門開，桌後坐一持杯魔術師，桌上放一盒子，魔術師點頭眨眼作說話狀，拿起杯子，扣上再提起時，左側杯下有紅珠子，右側有綠珠子，扣上再提起，紅綠珠子位置交換，然後再變小鳥失蹤。表演同時，屋頂圓球旋轉，球上站立的小鳥展翅鳴叫。此鐘以七盤發條為動力源，各組機械通過拉桿連動，設計巧妙，結構複雜，顯示出極高的設計製作水準。——關雪玲《日升月恒——故宮博物院藏清代鐘錶》，紫禁城出版社，二〇〇九年。

幾盤發條；表演的小鳥什麼的，裡面都壞了，有的桿都是彎折的，接起來；小鳥交換的氣囊全糟了，蟲子打爛了，從荷蘭買皮子，重新糊。當時咱們還沒有這麼薄的皮子；裡面那些小氣門都是重新做的。

調試最費工夫。這麼點小地方裡有四個東西在互相變，這個起來那個上來，差一點就互相打起來，一打架就卡那兒出不來了。還不敢輕易下手，不是說覺得不合適就調，動錯一點，將來恢復起來更難，所以必須看準了，才能調試。

整個修復花了將近一年時間。沒有修不下去的時候，就是難點，就是慢，一點一點琢磨，時間長了，性子也就磨出來了，你越急它越不轉，以前師父說急了就別幹，否則可能還出婁子。上周邊轉轉，安安心，接著幹。所以在這裡最大的基本功就是耐心，坐不住的人幹這個比較困難。時間長了，要是喜歡，再急的性格也能磨出來。

建院九十周年展覽，我們挑了一對乾隆時期的大型鐘，這些鐘一直在庫房裡擱著，一百多年也沒有修過。按原設計有五個面，底下跑人，正面是兩層的四開門，第一道、第二道門打開，裡邊有轉花表演，中層以上有十幾隻小雞翅膀拍動，還有一盆水，水上面有一隻鴨子在游，然後兩條小水溪，一隻大雞帶著一些小雞在撿食，中間自開門跟底下是同步，打開後有個人在紡線。挑它也是因為觀賞性比較強。

機芯打開一看，可能是皇上身邊的工匠修過，沒修好，零件拆完以後又合上了。裡面又是塵土又是鏽，零件全是散的，還有些壞了。幸好他還不錯，給你扔裡頭，沒有拿出來擱別的地方，那缺幾個件修起來更麻煩了，這個基本沒有缺大件，個別的輪壞了，你還能補能修，四周也比較嚴實。這麼多年搬家、調庫什麼的，零件也沒掉出去，底下要有鏤空，零件掉出去兩、三個小的，那修起來難度更大了。

這次我們就是從底下一步步修的，發條斷了，新配盤發條。調和齒輪也不行。這個鐘所有零部件全坐落在木板上，當時歐洲可能空氣潮溼，不像北方這麼乾，這木頭經過一、二百年熱脹冷縮，變形挺厲害的。有的齒輪咬合也就是兩到三毫米的量，那木座一變形，就達到五、六毫米，修復起來，也是挺難的。目前調合適了，但是就看看伏天有什麼變化。

過去修大多是為了展覽，都挑外形完整，缺失較少的修。前面老先生們修了七、八十年，院裡外形完整的基本都修完了。現在為什麼修的時間越來越長，因為挑不出來好的了，說實話，越來越破；最近這幾年沒太多展覽，時間比較充裕，就進行搶救性修復，都是挑外形破損，機芯複雜的。這些東西鏽損得越來越厲害，再不修復，越往後修起來難度越大。從破的開始修，將來就能越修越容易。

文物修復必須有參照物，不能創造性修復。如果是一對鐘錶，可以相互參照，缺什麼可以配。沒有確切參照物，外形缺就缺了，零件壞了就自己修補。我們不會輕易說一個零件「壞得不能用了」，比如這齒輪，這個尖斷了給它補一下，斷幾個補幾個，這一個尖零點三毫米，不算特別小，有比它還小的。如果所有齒都掉光了，那我們就把輪片摘下來換一個，保留軸承，這就是最小干預原則。如果因為尖斷了、齒折了就換一個新輪，這是不允許的，換個新輪擱上就不叫最小干預了。因為這是原件，換的是新的啊。

郭（福祥）老師說我修過寫字人鐘嗎？哦，那是瑞士的寫字人鐘，那裡面的人寫出來的字是英文。當時瑞士在北京辦一個活動，鐘摔壞了。他們有修復師過來，但可能時間緊，晚上發現，第三天早上就要用，就請故宮幫一下忙，地方在金融街，離我家特別近。那時晚上十點多了，我從家過去幹了半宿，損壞的小零件做了做，第二天中午又去，弄到晚上十二點。

其實也沒什麼，它有一個鏈斷了，不夠長。我說你乾脆摘掉這個，買根零點五（號）

的釣魚線。那個線粗細合適，韌性好，力量夠，新聞發布會能用，救急沒辦法。它應該是這種鏈，這種鏈我們故宮有一些，不多，不能給他用呀，兩碼事。只能拿這個代替一下。他也同意，他說行，達到效果就行。

用民國的紙幣代替羊皮補氣囊，我們師父那一代就用。那種紙幣韌性好，比紙要強。後來我們發現前人修復中也有拿那紙幣黏的。那種羊皮是國外做的，挺薄，跟紙似的，我們沒有。這些都是沒有辦法，（零件）沒有啊。現在我們錢（紙幣）也沒了，也沒用了。

修文物是跟古人對話，他們都那麼說，我其實沒有什麼太大的感覺。但的確感覺跟歷代修復過它的工匠有交流，你打開一個鐘，你能感覺到有的修得很敷衍，有的做得非常細。這人手藝怎樣，粗糙、精細，都感覺得出來。很多鐘上一次修可能都還在清朝。包括桌上這個鐘，它上一次修是什麼時候？解放後修過的鐘肯定不會損壞得這麼厲害。距離上次修應該百八十年了。

我一共修過多少鐘錶，記得不是很確切了，一年平均七、八個，五、六個。大型的，一年也就一、兩個，還有小型的，估計怎麼也得有二、三百件。

故宮的寫字人鐘我沒修過，師父修時我們看了一眼。它寫出來的毛筆字還帶筆鋒，比有的人寫得還好。據說現在寫不了了，可能有什麼問題。我當然想修了，誰不願意修沒修過的東西。但它還在展覽，除非換展或改陳。據說好像有那種想法，可能會在屋裡搭個玻璃房子，達到恆溫恆溼，現在那個殿太高，防塵、恆溫恆溼不好做到。如果改陳的話應該有機會，這些鐘錶展了幾十年，應該做一個保養。

修好一個特別複雜的東西是什麼心情？原來不知道它什麼樣，修好恢復功能，看到它的表演原來是這樣，心裡挺有成就感。別人知不知道誰修的無所謂。可能一輩子就這一次，這東西修好了，擱庫裡，或者將來展覽，再想這麼大修不太可能，有的人一輩子趕不到一次，像印章一類的，上代人修過，下一代人你就沒機會幹，因為百八十年的東西，不見得讓你再過手。一個人在這兒能工作多少年，我們幹得早的也就跟個四十年，這件東西修完了四十年之內還能再修嗎？不可能。咱們現在保存環境那麼好，恆溫恆溼，展覽也就擺著，不像過去皇室天天玩，玩壞了，那咱們再修。現在保護得這麼好，很少有機會再動，動也就是簡簡單單地上上弦，演示一下，或者有點小毛病，簡簡單單地修，簡單調試一下，不會徹底修。我覺得修好一件東西的機緣很複雜，不是人人都有這個機會。有的人這一輩子能趕上一件，有的人一輩子也不見得修得上。現在這庫裡還有好多待修的，一直沒動，上次修，可能還是清代。

一九七九年故宮進來一批年輕人，我們經常一撥人，干有亮、楊澤華我們是一起的，中午吃完飯急急忙忙騎車去游泳。荷花市場原來是游泳區，前海西岸底下那一大片，一直快到小島那兒，底下是水泥的底，那是游泳池，體校也在那兒游泳。買張票，那時是二分錢，後來五分錢，上了岸有個大噴頭，露天的大水管子，水管子全是眼，一開就噴水，跟洗車房似的。夏天游泳，冬天滑冰。現在我還有冰鞋呢。那時站在銀錠橋能看到西山。我們家窗戶那兒，往西邊一看也能看到西山，現在好天的時候還能看到。那時幾乎天天都是好天。

二〇一六年五月份跟我太太去旅遊，在多倫多一個老城廣場上，遇見兩個留學生，直接就走過來問，您是那故宮王老師吧？這麼老遠還有人認識我?!網紅什麼的我真沒感覺，只不過可能在街上有時候被認出來了，那也只是對這個片子感興趣，可能對這種工作環境還有節奏感興趣，或是喜歡故宮裡面的東西。對我來說，每天坐這兒一上班還是跟以前一樣。

微博我沒有，年輕人都開微博。要是開了以後，老不理人家也不合適是吧，天天老看，耽誤工夫，眼睛也難受。前年體檢發現眼壓高，上限二十四，當時二十五點多，「青光眼，你去查吧。」後來我到醫院查了查，醫生說還行，問題不太大，現在又到二十了。現在我比較注意，不太敢用眼過度了。我習慣左眼戴放大鏡，還真是左眼眼壓高，換右眼不習慣。

從十六歲開始，我在這屋待了三十九年了。科技部這些老的工作室，基本都是在老地方，一幹就幾十年，都差不多。離退休還有五年多點，幹這麼多年了，如果哪天真退休了，到時候想幹應該還可以幹的，故宮的老師傅退休以後好多都返聘。幾十年了，都有感情。

我帶了一個徒弟，小亓，來了十年，現在幹得也不錯了，再有新人就他帶了。幹十年經驗挺豐富，現在帶徒弟應該沒問題，我們這個手藝也就慢慢傳下去了。

貳

銅器室

2-1 恢復原貌，千年風華再現——銅器修復師

「我修過的文物，我都喜愛。你必須得喜愛，要不喜愛，你就對它不珍惜，幹出的活也不會太漂亮。」因為《我在故宮修文物》，故宮銅器組現在的非遺[5]傳承人王有亮也意外走紅，接受媒體採訪時，他拿出一張近百年的「傳承譜系圖」，向媒體講述故宮青銅器修復從清代「歪嘴于」起至今的師徒傳承故事。

他近幾年修的一個重量級文物是春秋蝪形紋青銅卣，碎得厲害，幾乎都是蠶豆大小的碎片，「就一點一點弄，費了挺大勁，跟師父學的所有招數都用上了。」王有亮今年五十二歲，早已是位師父，在帶徒弟，走到哪兒都是受人尊敬的青銅修復專家，國家級非遺傳承人，但他仍然不斷提起他的師父，自己手藝的源頭。這是個自我的時代，許多人略有所悟就自立門戶，展現「我」的聰明及努力，而王有亮的態度裡有種笨拙的老實與謙遜，這種風格裡有傳統文化的氣息，隱隱讓人想起一個在當下已經「過時」的詞——「尊師重道」。南懷瑾曾說：「尤其在過去的民間社會，不讀書，不進學校，自由從師學習百工技藝

為專業的人，終其一生而『尊師重道』的精神和行為，比起讀過書、受過教育的人，更勝一籌。」

做派謙遜，但手藝漂亮，修復的是國之瑰寶，態度是輕鬆日常，輕鬆來自大量的經驗，「反正幹我們這行別偷懶，你幹得越少越不行。就得多幹，你沒悟性的必須得多幹，才能找出這個感覺來。」

故宮收藏青銅器一萬六千多件，是中國青銅器藏品最多的博物館之一。中國的青銅時代，是中華文明的一個發源時期。最早青銅器的出現，即歷史上傳說的夏鑄九鼎，也恰恰是中國進入國家階段的標誌時期。許多制度、思想，都是在青銅時代逐漸完善。中國被稱為禮儀之邦，「禮」指的是周禮，周禮的一個重要的標誌物就是青銅器。青銅器不僅承載了中國的文化，也承載了中國在國家制度化建設方面的理念，所以青銅文明一直受人尊崇。而成組合的具有「藏禮」作用的青銅禮器體系，也是中國青銅文化有別於其他民族青銅文化的突出特徵[6]。

鐵器時代到來，在一些領域，青銅器逐漸被鐵器替代。但是帝王們沒有忘記作為王權象徵的青銅器，歷代宮廷都有意識地收藏先秦青銅器。漢代獨尊儒術，儒家思想在中國思想領域地位確立之後，人們對青銅器的回憶更加強烈。到了宋

5 「非物質文化遺產」的簡稱。

6 故宮博物院編《故宮青銅器圖典》，紫禁城出版社，二〇一〇年。

代，人們對青銅器的態度從盲目崇拜逐漸變成系統研究，金石學興起。其中，宋徽宗起到了推動作用，他自己收藏大量青銅器，藏於宣和殿，據記載宋徽宗收藏的青銅器有三萬多件，後來他將此編著成書，流傳於世，就是《宣和博古圖》，在它的推動下出現許多金石學家。宋之前，民間發現青銅器必須上交，到宋代這一現象有了改變，學者開始系統地收藏青銅器，研究青銅器。理學家呂大臨撰寫的《考古圖》中記載的大的收藏家就有三十餘位。許多青銅器是宋代學者定名，沿用至今。到了明清兩代，人們對青銅器的欣賞、甚至是仿製，一波波地形成高潮。在此過程中，金石學也在不斷地發展。

傳統青銅器的修復和複製技術在春秋時期就已經出現，宋代、元代仿製古代青銅器成為風尚，杭州、蘇州等地出現了頗有名氣的仿古青銅器作坊；明清及民國時期，青銅器修復分四大流派：北京，蘇州，濰坊，西安，這與大的社會背景相關。吳地自春秋時候就開始冶煉製作青銅器，北宋時青銅器的仿古技術已達到很高水準。明清時除了宮廷，青銅器的製作最發達當屬江浙。有工藝基礎、又鄰近上海，需求大，形成了一個產業；山東濰坊派與大收藏家陳介祺有關。晚清到民國最大的收藏家陳介祺收藏了很多青銅器，真品密不示人，需要大量複製品以應付官員索討觀賞；西安是文物大省，出土有大量西周青銅器，青銅器上的文字成為研究重點，所以西安流派注重青銅器文字的修復、補刻、偽刻。

北京是皇宮所在地。清代，清宮內務府造辦處內有專門機構負責徵召各地能工巧匠仿製、修復青銅器，其技術不斷完善，日趨成熟，形成了一套工藝規範的傳統手工技藝。晚清，皇宮許多包括青銅器在內的文物流散在外，造辦處的匠人也大量遷轉出宮。光緒年間，造辦處一位專事修復青銅器的、綽號「歪嘴于」的工匠出宮後在前門內前府胡同開設「萬龍合」古銅局，以修復青銅、金銀、陶、玉石等器物為業。一九一一年，于師傅去世，最小的徒弟張泰恩為其發喪，並繼承師父衣缽，改「萬龍合」為「萬隆和」，開創民間「青銅四派」之一的北京「古銅張」派。如今故宮文物科技部銅器室的修復，即是傳承自這一支。

一九五二年，故宮成立銅器室。古銅張派第三代傳人、當時在天橋開古銅鋪的趙振茂，經人介紹來到故宮，從事青銅器修復工作並將這項傳統工藝又帶回了紫禁城。當時的專家還包括長期從事青銅器修復、複製的趙同仁、李會生、孟海泉及景德泉、古德旺、張聚如等人。

從古銅張傳人進入故宮後，故宮博物院透過「師承制」的方式培養了一批掌握傳統修復和複製技術的專家，先後修復了包括班簋、齊史祖辛觶、司母辛鼎、二祀邲其卣、馬踏飛燕等一大批國寶級文物，複製了蓮鶴方壺、格伯鬲、獸面紋觥、獸面紋甗、鳶祖辛卣、西周牛尊、西周榮簋等一系列重要文物。

「馬踏飛燕」和「班簋」是趙振茂領銜修復

的兩件重器，後者原是清宮舊藏，後流落民間，去向不明。文革期間，許多古銅器被送往煉銅廠回爐重鑄。為保護文物，由北京市文物工作者組成的「文物清理揀選小組」負責到各廢品站、銅廠「尋寶」。一九七二年的一天，文物清理揀選小組來到北京有色金屬供應站，正值中午，一個盛滿廢棄銅鐵麻袋中的一些碎片吸引了在場人的目光。其鐫刻的銘文以及表面的饕餮紋飾都與西周的青銅器不謀而合。專家程常新先生鑑定它是西周班簋，並送往故宮博物院文物修復廠修復。

此時的班簋已經支離破碎，底部破了一個洞，且變形上翹。但大部分紋飾得到保存，特別是腹內銘文，只是因底部出現孔洞而殘缺，修復難度很大。趙振茂用錫補平，並根據《西清古鑑》簋銘拓片，經過整形、翻模補配、修補、對接紋飾、跳焊焊接、鋼鏨雕刻、除鏽等多道程序後終於將其修復成器。如今班簋已是北京首都博物館鎮館之寶。

青銅器的修復，包括兩個範疇，一為修，一為複。修，就是保護性的修理、復原；複，是複製。在博物館，複製是一個重要內容，許多珍貴文物國家會有嚴格規定，甚至不允許離開故宮，所以需要有唯妙唯肖的替代品。

故宮博物院中，春秋時期的複製品裡最精彩的是蓮鶴方壺，出土於一九二三年。河南新鄭李家樓村一個李姓地主打井時無意打到墓葬，發現大量青銅器。他試著賣出其中一小批，驚動了駐紮河南的靳雲鶚師長，追回被賣文物，另派工兵繼續挖掘，出土青銅器一百多件，這當中最出色的當屬蓮鶴方壺。它形體宏偉，高達一點二二米，總重量達六十四公斤，裝飾華美，壺身裝飾為虎足龍耳，壺蓋上是盛開的蓮花，雙層鏤空，蓮花正中一隻仙鶴佇立，舒展雙翼，展翅欲飛。雖然是用青銅塑造，但造型靈動。這種清新風格跟夏商周時期，廟堂上的青銅利器不同，後者追求的是莊重、威嚴、神祕。而蓮鶴方壺清新活潑的風格，傳遞出春秋時期自由革新的精神。

蓮鶴方壺的複製品由趙振茂領銜製作，在使用材料上，捨銅而用錫鋅合金鑄造，使其重量更接近原件。其表面仿造銅壺的青銅鏽，看上去彷如歷經時間氧化斑駁的青銅原件。

有些複製包含更高科技含量，比如少虡劍的複製。少虡劍是複合劍，一把劍用了兩種合金。古人在戰爭中發現，一把劍含錫量高會鋒利異常，失之太脆；含銅量過高，則柔韌有餘而鋒利不足。古人發明了複合劍，劍心用含錫量低的合金，兩刃和鋒部含錫量較高。既銳利，又柔韌。在古代，這是一把科技含量很高的劍。趙振茂複製的少虡劍，令人感嘆這一代老師傅的青銅器修復技藝已至爐火純青。

挽救國寶的經歷，趙振茂的徒弟並不怎麼聽師父提起，有的乾脆是從別的師傅處聽到。即使提及也是從技術角度，口氣平淡：「搞文物修復的人，不是說我修完以後，跟你講我自己水準有多高。我師父就說這個工作是我幹的、哪兒拿來的、怎麼修的、我幹了哪些工作，他就講這些。

他說你們要有認知。」

修復青銅器，動輒與三千年前的古人對話，做舊要退掉新品火氣，做出時間風雨侵蝕感。卓越的工匠工作時不動如山，沉靜似水，世俗的喧囂如水面的漣漪，在日復一日的專注中平靜。他們遵守了匠人無名無我的傳統，文物上不會留下他們的名字，參觀者也不會知道修復者是誰，他們看似沒有追求實現自我，但這令許多人終身尋找的命題，早已經由每一次焊接、每一次上色而暗中實現。文物是歷史的濃縮物化，是較個體生命遠為廣闊的時間與空間，一流的匠人終日跋涉此間，自我消融於這廣闊之中，不再需借自我炫耀獲得存在感。

老一輩師父的做派變成徒弟們的生命底色，

這正是教育的意義。借兩位金石組銅器修復師的回憶，老一代手藝人如何帶徒弟、如何立身處世、謙遜平和的風貌，點滴浮現。

2-2

我修的文物，我都喜愛

王有亮

故宮的文保科技部以前叫修復廠，一九五〇年左右成立。銅器室成立於一九五二年，我師父當時是在天橋做古銅器生意，經人介紹來到故宮。

我的師父叫趙振茂，傳承的脈絡叫北派修復，最早的師父叫歪嘴于，他的一個徒弟叫張泰恩，歪嘴于是第一代，第二代是張泰恩，張泰恩再傳侄子張文普，張文普收了八個徒弟，其中就有我師父趙振茂。

師父老家是河北深縣，現在叫深州。師父十五歲就出來當學徒，頭八年好像都沒讓動東西，因為學徒嘛，住在師父家裡，吃喝什麼的都依靠師父，頭八年就幹了些看孩子、倒尿盆、做飯的家務事。那會兒學徒都是窮孩子。張文普收了十一個徒弟，陸續剩下

七、八個，都住在他家。以前都是那種前店後廠，後面住人，前面鋪子做生意。因為他天天跟師父在家看這東西，再有點兒悟性，接觸銅器後很快就能夠獨立修繕了。

一九五二年故宮準備進行第一次大的文物整理，清朝那會兒都沒怎麼動過那些東西，庫房裡頭比較亂，也有壞的，就想在全國招些修復人員。這麼著把我們師父也請過來了。修復廠當時就一個銅器組一個裱畫組，還有木器組。清宮敗了以後，庫房條件不好，民國時期保存的也不是特別好，所以當時有好多需要修的銅器，他們等於是故宮青銅器修復的開創者。

師父在文革前收了兩個徒弟，就是我們的大師哥、二師哥。後來文革上幹校[7]，他那會兒就是勞動，因為是窮孩子出身，農活他也幹過，不怕，大師哥在幹校算隊長吧，多少能照顧點，他也沒有說遭大罪什麼的。從幹校回來後，全國各地招了有十七、八個學員，跟他學了很長時間，這幫學員回去後都是中國各博物館修復行業的骨幹。

7　全稱「五七幹校」，指中國文化大革命期間為貫徹毛澤東《五七指示》，將黨政機關幹部、科技人員和大專院校教師等下放到農村，對他們進行勞動改造和思想教育的場所。

北京
333550

我是一九八三年進故宮的，那會兒我十九歲。八〇年代，國家文物局跟鼓樓中學聯合辦了一個中專[8]性質的文物職業班。我當時覺得考大學比較困難，報這個班學了三年，學完就分到這兒了。我們學的專業也挺多，包括字畫、青銅器修復，國家博物館的傅金凱先生給我們上過課。說實在的青銅器修復這個專業，我考的分是最低的。真的，沒想到後來我能幹這個。因為當時主要是學習理論，沒接觸實物。

師父是一九一六年生，我們來的時候，他應該是六十五歲，其實這中間是有點斷檔了。他也覺得這一代隔得有點長，所以也挺用心教我們。等於我們是最後一批跟趙師父學的，也是跟他學的時間最長的。我們跟師父共同工作了七、八年，一直到他七十二歲，腿不俐落，才不來了。

他很保守，因為他學這行不容易，遭過很多罪，不想輕易教，可是我們來的時候廠長、領導們都帶我們過來，說你好好教教，這些孩子都不錯。我們沒有正經地拜師，按

8 全稱「中等專業學校」或「中等專業技術學校」，是中國的一種中等職業教育機構。

過去的正經儀式，得師父坐椅子上，領導在邊上，還得講話，那才算。工程隊那邊弄過，瓦工隊、木工隊那幫，他們給師父還得磕頭呢，九〇年代工程隊還有這個儀式。我們這邊沒有那麼正規，可是師徒之間寫過協議，裱畫這兒有仨人寫過，我跟高飛寫過。核心內容就是一年之內你必須教會徒弟哪些東西，徒弟盡力一年掌握什麼什麼知識，一式兩份。這就等於確定了你倆的師徒關係。

我們剛來的時候根本閒不住，沒有讓你坐的時候，真正讓你坐的時候就是磨你性子了。最開始是打磨複製品，那時候博物院和英國一個工藝品公司簽了三年合同，做青銅器，三十二種，一種要做五十件，量挺大的，從翻模到鑄造到成品都是我們做。

我們新來的主要還是打磨，就是累活，因為技術含量低。說實在也不低，鑄造完以後鑄件表面有一層氧化殼，必須把氧化殼磨下去。只能手工，那時候什麼手槍鑽都沒有，就是用「兩頭忙」。你看我這兒還有這個，這鋼銼叫「兩頭忙」，兩頭都能用。

最開始，有時候搓一個禮拜還搓得到處都是印，使勁大了、搓深了，搓出一道道溝痕，連裡面銅底子上都是。有溝痕得拿砂紙磨，反正就是一禮拜也出不了一點活。打磨練了有三、四個月。第二年開始有手槍鑽，有磨頭，用機器基本一天能磨一件出來。最初師父反對使用機器，他的概念裡打磨是練我們的手勁。但是當時做的量大，有時間限制，用機器快嘛。我磨了兩年半。

然後是做舊。這是複製青銅器最關鍵的，因為不管磨出來多好看，沒有鏽就沒價值，它就是一個鑄件。師父不會告訴你該怎麼做，讓你自己做，材料就是那些，你看著材料就照貓畫虎地去學。師父特嚴，不合格他不收。你自己感覺做得挺好的，他也不收，「再鑿吧」，反正還差點兒。就逼得你主動要去想，你不想就出不來。

我剛來的時候活蹦亂跳的，就是讓師父給磨的性子，真急不來，這工作你必須是一點一點弄，著急沒有用。一個顏色調不出來，一琢磨兩天也挺磨性子的。比方原件是綠，要照綠色去調吧，您可能沒有覺得，這綠裡頭有綠有白有黃還得有黑，您可能沒覺得這裡頭有黑，可不加黑就出不來這個色。這個其實靠自己悟，師父不會說，都是「看著弄」。弄對了自然就對了，沒特高興地誇過誰，覺得你這個好就一點頭，收了。沒有說你做的真好什麼的。

以前老師傅帶徒弟好像都是讓你自己去琢磨，不會主動教，要想學就是偷學。所謂偷學，就是他做的時候你得瞄著看怎麼弄。現在是主動教，生怕你不聽。說實在現在年輕人咱也不能要求太高，他不跟你調皮搗蛋就可以了，能踏踏實實跟你坐這兒就可以了。讓他跟我那會兒似的受管教，你連自家兒子都沒法管，時代不一樣了。

這真的還是年代的問題。傳統的老師傳教人跟現代的不一樣，是另外一種思維。反正你自己悟的東西你印象深。可是有一點，我們師父對這文物特別在意、敬重。他給你一件文物，心裡也琢磨你能不能修好，而且在這當中，他看到這文物有危險或者是可能有，他眼睛厲害啊，接觸東西多，可以看出來這腿兒是焊過的，他立馬提醒你，這個地方你一定要注意，然後，真正說你做顏色的時候，反正就這顏色盒、這些顏料，你把顏色盒弄乾淨、放好了，剩下就不管了。他不輕易回答問題——師父，這個色應該怎麼弄？「琢磨去！去慢慢弄！」

做舊做了得有一年吧。它其實就是一個大量重複的經驗的積累，得靠你自己悟，你的悟性到不了，師父把著你手做都做不出來。師父給你本書也沒用。自己體會的東西跟老師手把手教的也不一樣。

印象深的師父的絕活，一個是用化學方法做複製品，另外就是做舊，全國第一把，

那做出的舊真看不出來。現在我們庫房還存著他做的蓮鶴方壺，做的比真的還好，到現在顏色一點都沒變。後來跟英國的合作任務完成，複製我們也都會了，就給你一些文物。等於你練過複製品以後這手頭上有準了，再修文物比較能有把握。就一點一點這麼去做。那時文物壞的也多，庫房的東西也多，不像現在，現在真正壞的銅器不多。因為已經大規模修過，而且真正清宮舊藏的銅器也沒有特別壞。你想皇上喜歡的東西他也是在意的，不會說輕易地瞎扔什麼的，保存得還好。

時間長了，工藝這一塊的步驟和方法，基本上就能學到，可是有些尖端的東西還是沒學到，比如說我們師父做舊，都是用化學方法做鏽，我們到現在也沒完全學會。現在我們能做也會做，但是做得沒他那麼好。比如做悶鏽，我們悶的就是一片，等於這個鏽就是一片一片地上，你控制不了，我們師父做可以留地子[9]，所謂地子就是最底下一層亮的那個表面，鏽是鏽，地子是地子。

七十歲後，我們師父改脾氣了，就老小孩了，到後來越來越覺得和藹可親。他本身就是一個笑模樣，老了以後，花白頭髮不拘小節，鬍子拉碴的天天跟我們聊得還挺熱鬧。有一件事他愛掛嘴邊上，就是一九五五年文物大清點，請了十二位專家包括唐蘭大人物來鑑定，清點鑑定一下青銅器。不知道是什麼人給我們師父叫去，說你是修復的，可以參與一下。那時他還很年輕，人家歲數都比他大。有一件銅器，專家都說這是真的，到他這兒說這是假的，那專家能饒了你？我們都認可這是真的，你憑什麼說是假的？師父說我說假的就是假的。然後那專家說，小同志，說話要注意啊。

後來我們師父真給氣急了，拿了一個開水壺，「嘩」就往那東西上澆，澆完了漆皮子就崩了。那是後來做的。是不是他做的我忘了，反正他在大橋時見過這個東西。然後我們院長特敬重他，給他發國家特殊津貼，還聘請他加入文物鑑定委員會，工資那時就能拿一百多。我們八〇年代來的時候才掙三十塊錢，五〇年代他已經掙一百多。那時候二十二級幹部好像才掙四十二塊多。他們這幾位老師傅比修復廠廠長和故宮副院長工資

9 地子，指鏽下面貼近器胎的腐蝕層。銅器由於入土時間不同，含銅量、土質不同，表層自然產生的色彩也不同，主要有黑漆古、綠漆古、水銀浸、皮蛋青、棗皮紅等。——李震、賈文忠主編《青銅器修復與鑑定》，文物出版社，二〇一二年。

都高。

中午他在這兒休息，愛喝兩口，倒那麼一兩半花生米在這兒吃。他都自己帶飯，這兒有爐子，我們打酒來，籠火，大蒸鍋把飯熥上，到十一點半他吃。我們一般都是在飯堂吃，這兒不是有飯堂麼。趙師父比較節儉，飯堂的飯他覺得貴，或者也覺得還是吃自己的舒服。他那時候工資一百多，掙得多，他也不捨得。趙師父對錢狠了，一分錢都不亂花。他過苦日子過慣了。

馬踏飛燕是我師父修的，好像剛出土就送到我們這兒來。好像是碎了，主要是腿，因為它身子比較厚，幾條腿比較單薄，主要就是腿損壞了。拿過來以後，師父不知道它是一個什麼形狀，而且它損壞了以後斷口都有鏽，對茬[10]的時候就不會那麼嚴絲合縫。所以，對形費了勁。後來沿著斷茬給焊上了，結果這個馬立不起來，它一條腿是落地的，它老歪。我師父就琢磨，突然間發現，過去鑄造時腿裡頭有礬土，碎了以後礬土流失，它就成空的了，空了以後重力不對。師父往裡填了礬土，焊完就能立住了。力道掌握得非常好，就這一點平衡。就說老祖宗還是有本事。

現在甘肅省博物館還展，展廳一進門就是這馬踏飛燕。

這個修好了以後，他也沒有說覺得自己多驕傲，就是修好一件文物心裡肯定非常有成就感。

我修過的文物，我都喜愛，你必須得喜愛，要不喜愛，你就對它不珍惜，幹出的活也不會太漂亮。要說有名的就是蓮鶴方壺。蓮鶴方壺是一個墓裡出土兩件，一件在河南省博物館，一件在我們這兒。後來他們辦了一個展覽，叫姊妹篇。我們這個呢，並不是損壞，它在出土的時候修過，修過以後又開焊，耳朵掉了，以前修的地方又重新開裂，我和我們這兒一個同事，我們倆給修好了。

還有一個故宮從湖南收的青銅卣，是個提梁卣，可是呢，碎片裡面沒有這個提梁。反正那碎得挺厲害的，整物應該是三十釐米見方，直徑三十釐米大小，碎得都是跟蠶豆那麼大小，就一點一點弄，費了挺大勁，跟趙師父學的所有招數都用上了。

10 吻合、相符之意。

開始是有點發怵，可是師父那時就把所有的工藝和手段都教給你了，就是按照這個步驟一步一步來。修完以後，感覺比較難的是拼接和做鏽，我們行話叫做舊。這兩個工藝難度大一點。拼接就按照程序來，按照它碎片上邊的花紋、顏色，還有它的薄厚，比對這些特點，給它銜接上，就這麼一點一點地拼。拼了四、五個小塊，再連接成一個大塊，最後就是拼了有六、七組大塊，然後整體再給它焊接上。修復花了近一年時間，別的活兒好像沒怎麼幹，幾乎天天都做這個。

碎成這樣還要修復，這件器物肯定是重器。後來我聽業務部門跟我講，這種花紋的提梁卣，全國可能也就一、兩件。蜥蜴紋飾很少，青銅器上一般都是饕餮紋，這個你說是蜥蜴吧，還有些變化，就是跟小蛇似的，就是變種。我們院裡頭沒有這類型的器物，修好了等於我們館裡頭也添了一件好東西。

要說最難，哪一步都難。你整形，鉗工那點活兒也得會。變形了，你得給它正形。它是舊的，你正不好它就會裂，你對它又不能造成損壞；拼接，相對來講，拼接跟做舊這兩道工序是有一定技術含量的。拼接吧，一大堆碎片，就跟小孩玩拼圖一樣。拼圖它是規整的，是標準件。你這個它都是不標準的；做舊呢，你要不學個三百、五百的話很難做好。做舊的難度，比如說一件器物，你看它是綠鏽，它絕對不是純綠，裡邊多少是有黃的，有紅的，有各種顏色，就跟畫油畫似的。這當中師父教也教不來，他說了，這裡邊欠點紅。你弄吧，添多少、怎麼抹都不對，那色怎麼都不對。就得靠你感悟，靠你的經驗。不會做的時候，恨不得倆星期你調不出一個色來，著急，天天著死急。然後呢，就是等你經驗夠了以後，你再去做，那就是手到擒來。

做這活就害怕慌、著急。必須得把性格磨沒了，沒有棱角了。幹我們這行別偷懶，你幹得越少越不行。就得多幹，你沒悟性的必須得多幹，才能找出這個感覺來。

我現在也帶一個徒弟，高飛。我不像我師父那麼嚴格，可是高飛他自己就能明白。我和高飛關係特別好。主要是互相的，他做得也好。組裡邊也就這麼幾個人，有什麼事都得互相幫忙，互相做。

的確，現在願意踏踏實實坐下來學一門手藝的人不多，因為現在各行業也多，不是非得幹這個。再說現在各種什麼電視、手機上網微信一大堆。他沒必要為工作犯愁，因為太磨性子了。那會兒我們磨那個複製品，真就是一天就是在那兒搓，就是拿砂紙在那

上：碎成幾十瓣的青銅卣
下：修復後的青銅卣

兒磨，到最後磨得手指頭連指紋都沒了，全是繭子。你不幹，反正你就沒工作，你再找別的也困難，就這麼堅持下來。

不光我們這個行業，現在好像非遺的項目都遇到斷檔（斷層）的問題，年輕人不愛學。包括琺瑯廠，琺瑯廠好像年輕人也不多。我們通縣那個花絲鑲嵌廠，也都是一些老人在幹，年輕的也都沒學。這是一社會問題，我也說不好。

我進來時這個組叫銅器室，現在叫金石組，因為我們院藏這些銅器，在我們師父那一代，已經修得差不多了。改成叫金石組，就是包括金銀器、琺瑯，所有沾金屬的我們都修。以前還包括陶瓷、玉的都修，因為那會兒科室少，現在分得比較細了。

文物修復必須有參照物，如果是孤品，除非找到歷史性文獻資料才能修復，憑嘴說絕對不敢動，必須有文獻資料，還得專家認可。跟專家組必須溝通確定，這不能輕易地動。

銅器的修復，具體來說就是按照傳統修復工藝，恢復原貌。鏽分好鏽、有害的鏽。鏽基本上都是好鏽，只有一種粉狀鏽是青銅病，這東西應該是含氯，能讓銅器酥成粉，而且它會傳染，這塊長了那塊也得長。這種鏽一定要清除乾淨。

現在用的修復技法，跟傳統相比，理念沒變，我們永遠是修舊如舊。工序、工藝幾乎沒有變化，可是工具和材料在變。開始我們用的樹脂特差，調出來的膠是黃的，時間長了變色。現在的膠都是透明的，而且時間再長不會變化。現在材料比以前好，各種工具也多，方便多了。

文物修復有一個「最小干預」原則，包括修復的地方跟原件要有區別、有可識別性，這是義大利和日本搞的，叫《威尼斯憲章》，我們倒是不反對你們國家怎麼修。義大利那兒修的我們也看了，我和我師哥一起去過，它那兒雕塑多，只要能立著，胳膊缺了不配，維納斯缺了不配，擱咱們這兒的話我個人認為還是不好。如果你有可參考的資料依據你就配上，還是完美的一個再現。可是他們就是有資料也不配，就說你弄上去就不是原來的東西了，他就是那麼一個概念。然後顏色還不給人家做好，就是故意。其實對我們來講等於手藝特差了，等於你做不出來你才……咱們不能排擠人家，我們的想法就是修復得越看不出來我們才認可，這是你的手藝。讓人能看出來，那太簡單了，那活兒還不好幹。有個教堂是地震了還是什麼，神父像碎得一塌糊塗，又貼回去了，貼回去多少把眼睛得隨上吧，他給你露白，眼睛是白的還有裂縫，多難看，人物首先要看眼睛，你多少給它勾勾。

我們這行，對一個人手藝的最高讚譽是恢復原貌，就等於你所做的讓人看不出來。一件青銅器碎一百多片，光焊接上面全是道子，跟蜘蛛網似的，所有焊錫多了得去，少了得補，然後顏色跟兩邊隨，得讓它看不出斷碴兒來，我們必須這麼做。

現在是自由選擇，而且是每個組都不一樣，院長沒有說非要怎麼著。比如說木工，他們有他們的師父，有他們的傳承，有他們那個非遺的項目。鐘錶也是，裱畫也是，要是說你們師父改變作法，你們愛怎麼變怎麼變，跟我們沒有關係，我們這兒是必須遵循我的傳承。我是這麼想的。

關於故宮，作為一個北京人，我小時候也來過那麼一兩趟。這是好單位。那時找工作不容易，覺得有份差事先幹著。等真的來了以後，循序漸進的，慢慢地才找著這感覺。尤其是你修好了一件東西以後，自然有一種成就感。就喜歡上了。

剛來的時候我十九歲，活蹦亂跳的，年輕都想玩兒。那時中午回不了家，夏天就去筒子河、什刹海游泳，趕緊吃兩口飯就去游泳去。冬天這不是結冰嘛，這個筒子河邊上都有住家，然後還潑水把冰潑平了去滑冰。

那會兒北京沒有這麼多車，騎自行車也都特舒服，真沒有現在這麼亂得慌，騎著車在胡同怎麼飛騎也沒事。現在上班我騎電動車，因為我離家距離合適，牛街南口，騎電動是最舒服的。

沒覺得自己紅。媒體找我也就是實打實地說，沒覺得自己高多少，還是那樣，該怎麼幹怎麼幹。公共場合有人認出來過，不多，上回吃飯好像有一個人問我：「您是不是演過故宮的那個？」我說那不是演的，那是他們拍的。

修文物後對老祖宗很敬重，有時候你會想到過去又沒有機器什麼的，能做出這東西，咱們祖先真能。要是現在，沒電沒機器你怎麼做？想像不出來。那時也沒砂紙，他怎麼磨得那麼細緻。所有銅器表面都是非常細，這真是有水準了。

修文物不僅是跟做文物的人對話，也是跟歷代修復過它的工匠的對話。你能看出上一任修它的人，做的活兒怎麼樣。你會考慮什麼時代誰做的這個，如果遇到上一任修得特別好的，也是挺敬佩；遇到修得不怎麼樣的，反正說兩句。能看出來前一任工匠的態度和手藝高低嗎？當然能。最簡單的，焊道有虛實，焊一件東西用心焊的話都是實的，斷面都是實打實的，嚴絲合縫地讓它連接起來，虛焊的話，沒焊到這兒就是空的，沒有連接。

從小學了這門手藝，現在很慶幸選了這個職業，慶幸來故宮，而且還遇到一個好師父。還真是，來對了。

2-3

永遠保有敬畏心

惲小剛

我是一九八〇年二月份來故宮的，當時我十八歲。我們都是故宮子弟。我爸是一九五四年河北軍區轉業到故宮，我姥爺也是軍隊的，那時候沒有宿舍，就在故宮角樓兩邊，東角樓、西角樓河邊蓋工人宿舍。宿舍在城牆外筒子河以裡，兩邊都是故宮的職工子弟，等於從小就在故宮這兒摸爬滾打。小時候就覺得院子挺大的，後來幹了這個，覺得它太深奧了，越來越覺得它深不可測。

我高中畢業就上故宮幹臨時工。後來故宮跟英國簽了合同，英國訂了一批青銅器，所以一九八三年來到科技部。剛來時，我記得特清楚，趙師父先是讓我看廠規，看了一兩天，然後給了一把豎的刮刀，就讓我先去刮那個銅，其實就是練性子。因為這工作需要坐得住。那時覺得，天天刮這個幹嘛，也沒多大手藝。他就讓你坐下來踏踏實實去練性子，能踏踏實實地掌握。

後來就慢慢開始跟趙師父學做舊。先看，然後一點一點修小件，從小活兒練起，後來就開始進行複製。那時候人比較豐富，這組的人員比較旺盛，都是年輕小夥子，幹勁也高。

一開始上手都是資料，後來才慢慢承擔一些重要的。那時候故宮每年有一個文物精品展，有時外地送來一些青銅器，比較破，就跟著師父一塊修了。因為精品展，送的文物都比較有代表性，一級品比較多。展完了也修完了，他們就把成品拿回去。這對我們是個很大的鍛鍊。

馬踏飛燕應該是一九七一年修的，聽別的師傅講，出土時，馬鬃好像缺了點，脖子那兒有七個洞，馬尾巴是斷的。這種東西是要找平衡的，要讓它站穩。就說鼎吧，比如那鼎缺一條腿，我不能光焊上了，必須用手測一下，一般就拿一個平的東西擱在上頭點兩點，看平不平。能立住了，才能四周全焊了。這是我們修復的一個技法或方法，就是得找平衡，你不能修完這東西，翹著，那是手藝沒到家。

當時馬踏飛燕好像是礬土掉了。原本那裡頭注礬，礬土 掉可能空，空就晃，後來給它填上了，重心找到就穩了。

趙師父給我的印象就是一樂樂呵呵的老先生，隨和，對人謙和。那一代的老先生好像都是這樣的，見面說話沒有什麼架子，但對活兒是嚴格的。趙師父一般收活，「再鑿吧鑿吧」，就是說你沒弄好，可能你做得有點新，剛做完那個火氣還有點大。我們有一道工序叫咬舊，得把那個工藝咬下來，可能再加點土。師父的做舊水準相當不錯，感覺特別好，他往那兒一坐，盤著腿，一坐一上午，一坐一個下午，真是挺深功夫，真是坐得住。

趙師父對技術要求比較高，你要做好了他高興，你要真做不好，他有時候也真著急。但是非遺的東西，怎麼修得更好，需要你有一個悟。它裡頭那鏽，我們叫生坑熟坑鏽[11]，半生坑半熟坑，鑿坑水坑[12]，這是我們所說的鏽的名稱。有的你摸著它，好像沒有什麼鏽，但是裡頭跟鏽的顏色非常豐富。做舊既需要傳統的做法，也需要有化學的技術。它不像仿製，仿製有時候就是大概形差不多就好，複製的要求更細一點。趙師父對技術要求挺嚴。

我覺得手藝是現代機器代替不了的。拿玉器來說，現在有機雕，你看機雕雕出來，和人雕出來不一樣。人雕出來就有人的思想，代表著人的哲學思想或理念。咱就常說看著朱曉松刻竹器，刻竹房子，你就看他的雕工，你能領悟到他的思想，這也需要你有一定的文化，你才越看越深，越覺得，厲害也好，敬畏也好，我覺得手藝就這種東西，你看了絕對特服氣。就跟畫畫一樣，有的人把這鳥畫活了，有的人把這鳥畫死了，它就是少一點東西。咱們做舊的時候，有些東西沒法準確說，比如說，這個舊我加一點紅、加一點黑，我沒法用準確的刻量度跟你說，加一錢加一分加一兩，我要這麼告訴你，你加這個東西還是不靈。有時候就是經驗上的一筆，一點一點變出來就是這東西，這就是經驗。我稀釋劑和顏色的配比、和膠的配比，那全是經驗。你說做那高鏽、鑿坑鏽、鐵箍鏽，你怎麼做，完全不同的鏽，我用的東西都是一樣的，但我用的手法不同，出來那鏽就是不一樣。就是技術裡頭，它裡頭有手法，怎麼弄，出來鑿坑鏽了，怎麼弄就是生坑鏽了，這都有技術。自己得動一下腦子，琢磨琢磨這東西，怎麼做得像。夏商周的銅器，那鏽是一層一層的，有立體感，你不能說我噴完一層，再噴一層，給它全開了沒有層次，沒有一年一年過來的感覺，沒有歷史感，對吧。所以我們趙師父老說做得自然點，他說的自然，我覺得就像這三千年，你得把那感覺，把那鏽做出來就能逼真。趙師父做的活兒，那時候就是能讓一般的人以為是真的，這就是手藝。

最痛苦的時候，就是這點活兒在中間的時候，沒做成。等你完全修復好了之後，心情是比較快樂的。這件東西，拿出來是歪的也好，擰的也好，斷的也好，爛的也好，通過咱們自己的手，去把它一點一點地修出來了，這時候是最快樂的。

中途肯定要遇到那些你要解決的問題，這時候是比較痛苦的。你得想方法，你要整形，你得思考怎麼給它拼接上，怎麼把它的型立起來，你不能混。你還要保護文物，不

---

11 生坑，指新出土的器物，或出土幾年但器物表面未被灰塵、油汙汙染，也未做過任何人工處理，尚保持新出土時的狀態；熟坑，多指傳世的銅器或早期出土的器物，傳世經常賞玩，器物表面因手長期摩擦呈現光熟狀態，或者將新出土的器物上蠟擦光，統稱為熟坑。熟坑鏽較生坑鏽易做。——李震、賈文忠主編《青銅器修復與鑑定》，文物出版社，二〇一二年。

12 水坑，像從水坑中撈出來的一樣，器物表面顏色漂亮，或湛綠湛綠，或黝黑黝黑，主要在長江以南地區。——李震、賈文忠主編《青銅器修復與鑑定》，文物出版社，二〇一二年。

能再毀壞了，盡量保證別造成二次傷害。那時候是比較痛苦的，需要去思考，需要你仔細去琢磨，想辦法給它解決了，解決了就會快樂。

這是個緩慢的過程，剛開始就是把手藝學到手，談不上什麼覺悟，也認識不到。但是故宮的東西不要拿，故宮的東西不要沾，這是老一輩傳下來的。這些都是從小就潛移默化，所以對文物保護的理念這根弦是沒敢鬆過，但這認知肯定是一點一點在加深。

時代在變，修復技術裡也會加入科技，這是應該的。我一九九五年去陝西考古所參加（國家）文物局和陝西文物局合辦的中南文物培訓班，那時我們這邊沒有X光，德國人已經在用了。我們修的東西，你從表面看，就是一銅疙瘩，但是用X光去照，裡面清晰地出現半兩錢的樣子。所以我們修時，按著那張照片，一點點地把它上面的鏽剝離，一點一點地就是一個完整的半兩錢。這是很好的科技，通過照X光片，你發現裡頭還有字呢，再去鏽，就明白了。但是一定要慎重，盡量用成熟的理念。老規矩，幹文物的不能有文物，所以以前老人是不讓你沾文物的，尤其是本行的東西。現在隨著社會開放，你可以喜歡一點，可以有自己的娛樂。我是對書畫比較感興趣，平常自己也畫兩幅畫。

我覺得文物修復就是這樣，他要真喜歡，你可能趕都趕不走他。不喜歡也挺好，不喜歡你硬逼著他，他悟不到，對雙方都是損失。他既然想幹別的，那就幹別的，他喜歡的東西肯定能做好。我自己的孩子也不學這個，他現在在英國留學，學經濟。現在大了可能有點興趣了，以前都是「誰要你這破爛，你這破破爛爛，天天一堆」，現在大了，可能慢慢對這些東西感興趣，但他不會再幹我們這行了。他現在對金融比較感興趣。

我這人喜歡靜，能獨處。能坐得住，你才能做這個。拿顏色來說，有時候你調一天，調兩天，就是找不到這顏色；有時候興趣一來，你找到那色了，時間過得特別快，因為你已經完全進去了，趁著那感覺，趕快的，就跟畫畫一樣，坐在那兒畫。那種感覺到了，你是停不住的。你一停，這思路就斷了。

我覺得你要真能坐下來的時候，那就特別放鬆。琢磨的時候，痛苦。東西拿來之後，先把它看透，因為這銅器，在這塊可能有銅，在邊上就沒銅，你夾的時候就容易夾斷，所以你一定要看透了，該怎麼修，自己在腦子裡面形成一個方案。先哪步再哪步，一步一步的，這樣對文物保護比較到位。做這個東西得悟，就像畫一樣。在我們這兒顏料畫筆都有，顏色給你你畫去吧，你也畫一朵牡丹，不是那回事。做舊也一樣，它顏料、膠這些東西怎麼配比，怎麼能做出鏽色來，怎麼能做出幾千年的感覺來，這都得琢磨。這東西就得靠腦子，好多東西是不能具化的。

難嗎？難你也是從頭幹到尾，就是一個工作；時間長了，也不見得那麼神祕。就是有一個，說白了就是有個自豪感。因為你承載歷史。

好像是王世襄，他說初學的人去拿這把椅子，可能提著。對於王世襄那種人，或像我們向王世襄學習的人，可能是抱著這椅子去的，他視那文物為生命，他理解是不一樣的。趙師父那時候就說，聞著這青銅器有香味。其實你說有什麼香味，就是一種感覺，他就覺得一聞到那種「這就是老氣」，就是那東西就對了，他就是一種感情在裡面。像趙師父一九三一年開始，幹了將近七十年，他能沒感覺嗎？就跟那時候有人說的，說故宮是塊玉，不能隨便弄。扯遠了，你說故宮這兒全是磚，哪兒來的玉，他指的玉不是你理解的玉，你得達到他的程度，你才能感覺到他的。他說的是一個整體。每個人的理解，到什麼位置理解什麼樣的東西。

現在咱們通過幹這麼多年，對這些老先生的理念就開始理解了，他們還是敬畏心比較強，我現在就是在學那種敬畏心，一定要有敬畏心。你想人家青銅器，一代一代傳了兩、三千年，多不容易，咱們去怎麼給它傳承，完整傳承三千年或者兩千年。修的時候，你想想你的任務多大，對吧，你修復好了能傳承三千年，你一定要懂這個文物，懂得它的價值，這才有傳承性。

參

裱畫室

3-1 為古畫如履薄冰——裱畫修復師

二〇一五年九月八日，北京故宮博物院建院九十周年慶推出的精品大展之「石渠寶笈」特展，在武英殿書畫館和延禧宮展廳開幕，展出包括張擇端《清明上河圖》、韓滉《五牛圖》、展子虔《遊春圖》、顧愷之《洛神圖卷》等文物在內的傳世珍品近三百件。之後的一個多月，「此處距您進殿參觀大約還需六個小時以上」的牌子下，人流如織，隊伍前不見首後不見尾，以至於每天院門一開，觀眾賽跑狂奔至武英殿看展，成為老故宮裡的新景觀。

《石渠寶笈》全稱《秘殿珠林石渠寶笈》。滿清建國之後，清廷通過開科取士、編撰典籍、收藏書畫種種手段來認同漢文化，安撫天下儒生，逐漸將蠻夷入侵者的形象，轉變為熱愛甚至精通儒家文化的統治者的形象。上有所好，下必趨之，大臣紛紛進獻書畫精品，到乾隆時期數量蔚為可觀。而志在一代偉君的乾隆，延襲古代君王傳統，將內府書畫編撰成書，叫《秘殿珠林石渠寶笈》。《秘殿珠林》為宗教題材書畫，其餘書畫珍品則編入《石渠寶笈》。借《石渠寶笈》

中繼承「華夏正統」的書畫藝術，乾隆一舉奠定了「清王朝在漢文化傳承長河中的話語地位」。

紙壽千年，絹壽八百。如果沒有一代代裱畫師的妙手回春，一千多年的《遊春圖》、八百多年的《清明上河圖》早已破碎湮滅於歷史之中，現代人根本無緣一見。

有書畫便開始有裝潢。從唐代張彥遠《歷代名畫記》中可以判斷，這項手藝至少在晉朝就已存在，迄今已有一千七百多年歷史。裱畫技術在唐初具規模，至宋徽宗宣和年間的宣和式裱已臻成熟，自宋傳承至今，變化不大。

故宮的裱畫修復至清還有，而民國無。一九五三年，時任國家文物局局長的王冶秋專程到上海，約請幾位書畫修復高手北上，包括有裝裱界梅蘭芳之稱的楊文斌、古書畫修復大師張耀選等數位技藝精湛的南方裱畫師，於一九五四年共同組建了文物修復廠裱畫室，奠定故宮書畫修復的基礎。這些名家當時三、四十歲，年富力強，在上海裱畫界早已成名。博物院給他們每月開出一百多元的高工資，遠遠高於文物修復廠廠長。過了一年多，家眷願意來的，也陸續接到北京。加上隨後成立的摹畫室，幾位南方來的老師傅相處甚洽，春節時相互拜年串門，猶如親人。

「那時師父掙一百一十五元錢，相當於現在的好幾萬，家眷又不在北京，發了工資幹嘛去啊，幾位師傅一合計，乾脆下館子吧。」如今的裝裱修復技藝非遺傳承人徐建華說，那時故宮外面有洋車，出門一招手，「洋車！」拉起來就走。負責京裱的張師傅是地道老北京，知道哪兒的館子好。「點菜點菜！」張師傅邊看菜譜邊招呼，「這菜多少錢？才幾毛錢？幾分錢？好傢伙！這錢得花什麼時候去！」

在徐建華繪聲繪色的回憶中，舊時一流工匠的風采呼之欲出。聚餐多是師父楊文斌請客，「大爺嘛。」就像舊時戲班通常是挑大梁的請所有人吃飯，維繫感情。裱畫室最初的幾位老師傅，基本是搬來了上海「劉定之裝池」裱畫鋪的原班人馬，挑大梁的楊文斌也保留著舊日的做派，令人想起他的外號「裝裱界梅蘭芳」，不只因為他樣貌漂亮乾淨，大概還因為這份出手闊綽的派頭。

那是故宮文物修復手藝人意氣風發的年份，這些舊社會的能工巧匠備受尊崇，他們也用心血證明自己配得上這份尊崇。楊文斌胃出血，張耀選有胃病，一九五六年入職裱畫室的張金英胃部切除三分之二，這是長期的高度緊張，長期的胃痙攣付出的職業代價。裱畫室裡的匠人們用自己的心血延續著古書畫的生命。

嚴格地說，裝裱只是書畫修復的一部分，先修再裱，準確叫法應該是修復與裝裱。裱畫分南裱和北裱，南裱的主要代表是蘇（州）裱和揚（州）裱。南裱素淨淡美，有文人氣；北裱富麗堂皇，較大氣。兩派從工具到形式都有區別。一九五四年故宮裝裱的第一代為南裱之蘇裱派。

書畫修復用的針錐、竹起子及鬃刷

選擇蘇裱，因為乾隆年間宮中書畫幾乎都是造辦處去蘇州裝裱。另外，宮廷裝是一種比較特殊的裝裱，比如著重黃色。以前宮裝裱有嚴格的品級，建國後裝裱不按品級，而是按展櫃和畫芯顏色的需要。修復技藝的地域之分和氣候有關，雖然故宮裱畫室老師傅都是南方人，但要適應北方的氣候，在某些工序上不免有所改良。所以，故宮的修復與裝裱，除了宮廷裱獨有的風格之外，也是南北的一個融合。

古書畫的修復步驟很多，最核心四個：洗、揭、補、全。

洗。字畫如果沒有特別糟，可以直接上排筆按壓洗，用乾淨毛巾吸走髒水，反覆操作。偶爾還會需要草酸等物品。

揭。書畫修復全關乎揭。修復時先揭褙紙，褙紙後是命紙，顧名思義，命紙攸關書畫性命。命紙緊挨畫芯且特別薄，揭命紙時，稍有不慎將揭掉畫芯，造成無可挽回的損失。有時得靠手指輕搓慢撚，撚成極細的小條取下，有的畫要揭一兩個月，過程枯燥，光有技巧不行，只能拚耐心。

補。揭下舊命紙後，拿一張新的命紙托住畫芯，畫芯缺失處要補，斷裂處貼折條。紙本跟絹本的補法不同。紙本為隱補，托完畫芯之後放在透視臺上，底下有燈管，打燈，找厚薄一致的紙張補上缺口，補完後把命紙頂上去，填補了畫芯的缺失。補完外邊要刮口，接觸面刮成斜坡，不能有硬突，否則捲起來會硌著畫芯；如果是絹本，就先補後托。即先拿絹補好，再托命紙。同樣也須刮口。

全。這一階段通常包括全色及接筆。後補的紙絹比原來顏色要淺，全色是將其跟原先顏色找齊，不露痕跡。接筆是指接續畫意缺失處。接筆必須有摹古畫的基礎，通常由摹畫師來接。

解放後的故宮博物院開始搶修最珍貴的文物。一九五六年進故宮工作的張金英回憶：「那個時候和現在不一樣，送到我們修復廠的東西，全都是故宮裡頭最好的寶貝。」包括《清明上河圖》在內的傳世國寶的修復也提上日程。

《清明上河圖》為北宋張擇端的傳世精品。畫家在五米多長的畫卷中，生動描繪了北宋末期首都汴京（今開封）在清明時節的繁榮景色，畫中人物雖達數百之多，卻衣著神情各不相同，構圖疏密有致，栩栩如生。其對中國十二世紀城市生活的生動記錄，在中國乃至世界繪畫史上都堪稱獨一無二。《清明上河圖》先收藏於北宋宮廷，之後幾經戰火、盜賊覬覦、政權傾覆，五次出入宮中。最後一次出宮，是被清朝末代皇帝溥儀偷運出去，輾轉流落長春。五〇年代，這件珍貴文物被古書畫鑑定專家楊仁愷無意中發現。在經多方鑑定確認為真跡後，再次回到故宮。

飽經滄桑，名畫已出現破損，畫面上也沾染了灰塵與髒物。修復《清明上河圖》的前期準備工作進行得十分慎重。論證完成以後，修復工作本來便可以開始。但是五十年代末中國開始「大躍進」，神州大煉鋼鐵，故宮也煙塵滾滾地支起了鍋爐。銅器室的人有鑄造經驗，就來做顧問，煉掉一些大銅缸；六〇年代，全國吃不上飯，故宮開荒種地，在宮裡種菜。因為營養不良，當時人多患浮腫病，但頂級工匠仍然被院長保護。一九六〇年到一九六二年，一定級別的幹部每個月額外發白糖、黃豆、雞蛋，僅裱畫室就有張耀選、楊文斌、張興順三人每月領取糖票、蛋票，被稱為糖蛋幹部。

一九六六年，故宮封閉，以阻擋紅衛兵衝擊。一九六九年，故宮職工下放湖北咸寧幹校，勞動改造靈魂。當時許多人不但自己去，還動員家屬一起去幹校。楊文斌沒去幹校，默默回家。這個十三歲就學裝裱的修復聖手，在徒弟的印象裡除了裱畫什麼都不會。上幹校前故宮被軍管，解放軍戰士讓大家列隊齊步走，楊文斌令人愕然地走不了。「他很難接觸這種事。也不願意參加亂七八糟的事，他就是一天到晚幹活。」

一九七三年，故宮博物院決定啟動《清明上河圖》的修復工作，主修楊文斌。當初一起北上的張興順師傅沒有音信，京裱的張師傅被老家的造反派來北京押走，下落不明。文革撕裂了曾經的親切，老師傅們不一起吃飯了，也不拜年了，曾經豪爽地為聚餐買單的楊文斌已經六十多歲，患有哮喘，手顫。

而楊文斌眼前的《清明上河圖》也是傷痕累累，布滿灰塵。它的上一次修復，還是在明代。如今，在裱畫室那間最大的工作房裡，《清明上河圖》平放在案臺上，一旁放著一盆溫水。個子瘦高的楊師傅弓著背，戴著眼鏡，用排筆蘸水，慢慢地為名畫洗去蒙塵。裱畫室的人，腿和膝蓋都不好，因為久站。接下來的兩年中，他的徒弟，張金英和徐建華都會看到師父以這樣的姿態站在工作臺前，如履薄冰。

一九七三年開始，楊文斌一直修復《清明上河圖》，其間因為生病在家休養一段時間，直到一九七四年底才修復完成。

「老師傅特別好的地方，就是對文物的熱愛，已經超脫了一九四九年以後。我從他這兒也吸取了好多。」就像技藝的傳承，職業病也是會傳承的，故宮裱畫技藝的非遺傳承者徐建華從師父身上除了繼承了手藝，也繼承了胃病。

故宮文物修復技藝的傳承多為師承制，一個師父帶一到數位徒弟，朝夕相處，耳聞目染。在六十五歲的徐建華、五十九歲的單嘉玖、五十歲出頭的楊澤華的回憶中，傳統中用來培養學徒的師承制訓練方式合理，成長次第清晰，看似枯燥的磨刀刮紙基本功訓練都有其背後的另一層含義，養成的是職業習慣，改變的是浮躁心態。三年學徒，從細節和心境上改變一個人，將其打造為一個合格的手藝人。從開始時是徒弟給師父打下手，不知不覺轉換為徒弟做上手，師父打下手，師父有意將徒弟推到前面。這種轉換在每個新人身上發生。

同時，師父　詞也包含更多，不僅是技藝的傳授，也有言傳身教的感染。《我在故宮修文物》紀錄片中，許多人因為楊澤華和王有亮開門前對著空院子的一聲吆喝而浮想聯翩，但吆喝並非因為攆鬼，而是跟院子裡過夜的小動物打個招呼。這聲吆喝成為科技部的一個傳統。而早到開門、收拾屋子，曾是所有老師傅留給徒弟的最深回憶。徐建華會比他的師父再早半個小時到，這個習慣又被他的徒弟楊澤華接力，最後變成裱畫室的一個傳統。很平淡，很日常。「工匠精神不就是對工作點點滴滴，就是你能跟你的工作對上話，這些東西其實都是潛移默化，從師父那裡感悟到的，不見得他跟你說什麼，而是你從他身上去感覺這種精神。」形式上的師徒合同在三年約滿後可以解除，但師徒關係將維繫一生，師父對徒弟的影響也變成傳承的一部分，代代傳遞。

和舶來血統的鐘錶修復不同，古書畫修復是純正中國血統的傳統技藝。前者誕生於西方現代文明，所需的工具及補件會因工業的發達而趨於升級，而古書畫修復則必須面向東方的過去。

《裝潢志》中規定：「補綴，須得書畫本身紙絹質料一同者。」即補料的厚薄、質料、簾紋要與畫芯一致。以前，古書畫修復從業者普遍會去舊貨市場淘舊貨存著，拆下來舊紙、舊綾絹當補料，「那個年代能拿文物補文物。就是說你非文物，或者是三級文物，我就能給你處理了。從文物商店買回來，處理了補在這宋代畫上。現在不行。」市面上舊物難覓，而且隨著時間推移，老材料只會越來越稀缺。不僅如此，庫房裡以前還能提出乾隆高麗紙做補料，現在民國以前的都算文物，都不能用了。

材料，是所有裱畫聖手在當下遇到的困境，而且，並不因科技的進步而有望解決。新生產的宣紙就是不如老宣紙，老宣紙是青檀皮在山上用日曬四個月自然漂白，整個工序下來要一年半到兩年。如今已不可能用這種手工作坊的效率造紙，即便有人採用這種工藝，汙染的空氣和水，和從前的天氣和山澗溪水也遠不相同，造出的紙仍然不同。

不能隨著科技的發達而解決，因為科技日益改造著世界，而這門傳統技藝所需求的材料是跟傳統生活息息相關，是傳統生活上面長出來的有機物。世界變得越來越新，舊的生活方式、舊的抄紙鋪子沒了，老宣紙、古綾子也就沒了。

看上去這是個死局，但也有人努力尋求破局之道。不求一勞永逸，但求日拱一卒。從庫房提出古畫，對照文物上的圖案做仿宋錦；到安徽找廠家做傳統的水油紙；到遷安找廠子做高麗紙。楊澤華說：「我的能力也有限，我老是說每代人有每代人幹的事，但是不管多少，你積極地去邁出這一步，後邊還有人。」每一代人都盡己所能地解決問題，如愚公移山，世世代代無窮匱也。這個思維裡令人感動的不是相信明天會更好的樂觀，而是對一代代傳承者的信任與期待。這是瞬息萬變、每十年就結束一個時代的現代化社會中奢侈的思維。這種思維裡有著對某種近於永恆之物的相信。所以他到外地出差都會帶年輕人一起，為未來的破局者培養人力階梯。

同時，古書畫修復也在嘗試面朝當下。以前修復只有修前、修中、修後圖片對比，現在修復前會做大量測試，包括顏料、紙、絹的成分，這些重要的原始資料將用來指導後續修復。紀錄片中那張《崇慶皇太后八旬祝壽圖》修復結束後，絹本的質地、繪畫方面的資料都會詳細記載於修復檔案；而故宮「倦勤齋」內之「通景畫」的修復，不僅用到大量儀器測試，還提出了對畫幅周邊建築構件的保護，是前所未有的整體修復工程的理念。這個理念也影響了楊澤華四下找廠家合作，做馬蹄刀，做水油紙，做仿宋錦，「因為非遺保護是全方位的，不僅僅是單一的縱向脈絡的一個保護。」

五十來歲的楊澤華是故宮書畫修復第三代傳承人。故宮書畫的第四代修復師，多是美術學院（簡稱美院）等專業院校科班出身的年輕人，他們和第二代傳承人徐建華共用著七十年代就有的裱畫案、五十年代老師傅做的竹起子。老師傅已去，用過的工具還很堅固，仍舊好用。有把竹起子的手柄上寫著「手破離」，不知是誰把日本工匠的「守破離」原則解構，提醒大家這是一把會夾手的竹起子。最搶手的工具是砑石。好的砑石需石質緊密，毫無雜質，趁手易握。好砑石不常有，裱畫科三個工作室十幾人共用三、四塊石頭，年頭最久的是五十年代南方老先生帶過來的。常年摩擦畫紙的那一面光滑如鏡，瑩瑩有光。

採訪徐建華時，他工作室的另一角，一個年

輕男孩一直在搓一張唐卡的褙紙。我採訪了兩個半小時，他搓了兩個半小時，身形不變，不疾不徐，旁若無人，彷彿入定，自我消融於這平靜的無限重複之中。那種節奏讓人著迷，彷彿時間不存在，或者更換了度量方式，不再以分、小時、周、月、年作分割，而獲得了新的更遼闊的座標，以千年起計。在此坐標中，個人變得渺小，但以另一種方式接近永恆。

3-2

磨刀刮紙就是磨你的性子

單嘉玖

一九七八年冬，我結束插隊回京，正好故宮博物院招收文物修復人員，我就來了。剛來時的師父叫孫孝江，一年後他調去歷博（中國歷史博物館），我就換了師父，後來的師父叫孫承枝，就是修《五牛圖》的。兩個師父實際上是叔侄關係，孫承枝是叔叔。兩人的性情都非常好。

頭三個月，師父給我一沓紙、一把馬蹄刀，剔掉紙上的草棍、煤渣，不能弄破紙。實際上是練你刀的力度，因為你修舊活和補口，缺失部分的口都要刮，都得給它刮平了，如果沒有基本功的練習，那個口是刮不平的，像狗啃過似的，所以它的目的是為了讓你練刀功，力度有準頭。

練完刮紙，再練刷紙——用鬃刷蘸漿水刷舊紙，不能刷破紙，不能刷出褶子。十幾張刷到一起，你得把它們黏合起來，變牢固還不空。最後變成一個墩子。墩子也不浪費，將來我做冊頁，還能當裁板使，又練了手工，將來還會有用。一開始覺得枯燥，但慢慢地，你能感覺到那個鬃刷劃過不同紙面的阻力，甚至能感受到宣紙的膨脹與收縮。

沒幹活前先磨工具。像這種鬃刷買回來是不能使的，它都是齊頭齊腳的，鬃刷這麼硬，你想紙多薄，還是溼的。需要給它煮完以後打磨，找那糙石頭給它磨圓滑了，磨完以後鉸，鉸得稍微有一點弧形。這樣你刷紙的時候就不會把紙刷破；發給你的刀是沒開刃的，你得磨刀，師父告訴我刀怎麼磨，用什麼角度，過了那個角度就會越磨越鈍；還有些工具是自己拿絎被子的針做的；還有竹起子。起子是起活用的，挑進去，一起這畫就下來了。起子要用竹子，因為它有韌性，竹子泡完拿刀削，再拿玻璃刮，最後用砂紙打，摸上去光滑得像玉一樣。

每個人都要經歷這一步，是兩層意思，一個是練基本功，一個是練你的性子。從別的地方來，你跟這兒的節奏是不一樣的，它會練你的性情，浮躁感給你壓下去，靜下心來。修復書畫所需要的那種定力慢慢地培養出來。

研磨好的墨，用以補全畫的顏色

我們沒有拜師儀式，來了就說你跟誰。現在我們也是，來年輕人，說你跟那誰吧，倆人互相沒意見，師父說能帶你，你也對師父好，那就結合在一起，形影不離了。

我們這個工作就是師承制這麼傳下來的，它確實有它的好處，不像學院一個老師教四、五十人，教出來的東西，就像近親繁殖一樣，四、五十人全是書上一個模式。我們一個師父教一到兩名，比如這位師父做手卷相當不錯，那位師父可能是冊頁，各有各的特長，帶徒弟出來，必然跟師父靠近，這是一個蒸蒸向上的東西，它就會長遠。所以書畫修復從歷史上到現在一直是師承制。

師承制傳授的全是經驗，比如說我應該怎麼做這步，從外觀看覺得應該怎麼做，但真正做的時候有可能觸發其他情況，要調整方案，這就需要經驗。學院制是通過理論來傳授，初級可以是學院制，要往深走一定是師承制，這樣走得更長遠。這是我的理解。

徒弟跟師父學也是言傳身教，從師父身上學東西。老師傅們從來沒有說八點鐘上班八點鐘到，基本上都在七點半、七點四十就來了。來了之後不像現在先看手機看微信，看新聞，喝點水，吃個早點，人家是來了以後就繫圍裙。所以那時當徒弟比現在苦，師父七點半就站那兒了，沒有說師父幹活，你在旁邊坐著的。那時候的人可能學技術也比現在更積極，大環境是這樣。

沒人要求這些老師傅們，他們可能就是喜歡，就是對這個工作有極大的興趣，他不煩，幹完一件領一件。

修《五牛圖》時我沒趕上，我一九七八年冬天來的，那時已經修完了，一九七七年修的。師父沒跟我們提起過，沒有那種個人炫耀，過去人都非常樸實。不像現在資訊發達，我從文章上看到是他修的，都是好幾年以後的事了。

可能他沒覺得自己修這個有多了不起，就像修其他東西一樣。反正你修什麼東西都得認真，不可能說是國寶級的文物我就這麼修，其他沒有到那層次的我就要懈怠。當然，國寶壓力肯定會大一點。

自己修過什麼，師父不跟我們聊這個。帶我們之後，實際上我們已經融到一起，剛開始師父幹活我們在旁邊打個下手，慢慢地就會以我們為主。這種交替是不知不覺中發生的，因為你倆捆到一塊了。

剛開始不可能動文物，就托褙紙，遞工具，配漿水。到後期，感覺自己有把握的時候也會大膽去全個色，師父會欣賞一下，然後說這個缺少什麼，那個缺少什麼，他給點評一下。就算到了獨立幹活，最後交活的時候師父都要看一遍，哪兒有毛病，能改的改好才能交。我們一直都在他的監護之下，直到他後來幹不了。

對於書畫修復來說，三年也沒法獨立工作。比如說有的東西必須揭除命紙才能修補，但是有些東西，全部揭除命紙反而對畫造成損傷，因為會把畫芯給帶下來。命紙使用的不見得是一種紙，黏合劑也不見得是一樣的。

什麼活什麼時間幹，都有規律。比如我想貼畫[13]，那我一定在上午就得貼上去，我們可以看會兒水，起碼在它潮乾不一樣的時候，我們可以給它攤點水讓它保持穩定，到下班它肯定差不多快乾了，該脹也脹得差不多了，比較穩定，夜裡相對的能踏實點兒。第二天早上一上班，一進屋什麼事都不做，就看那畫有沒有問題，沒有問題心裡就踏實。下午貼肯定不行。夏天季節相對比較踏實，它潮。最不踏實的是冬天來暖氣的時候，

---

13 貼畫，又叫上牆、上掙子，書畫覆褙後上牆晾乾。上牆應在溼潤天氣，下牆應選乾燥天氣，忌梅雨季節和冬天大風天氣。如果條件允許，書畫在牆上的時間越長越好，最好經歷陰晴燥潤的不同氣候。——（明）周嘉胄著《裝潢志》，中華書局，二〇一二年。

燥。要是連陰天，揭畫芯，那你又不踏實，畫芯就趕快揭完托起來。要是慢一點，等你揭完前面長黴了。什麼天氣幹什麼活，但是天氣又不是你所能控制的。比如全色必須在自然光下全，燈光底下不全色。陰天或者霧霾那就幹點別的活吧。所以我們手頭都有兩件活，陰天幹什麼，晴天幹什麼，都是交叉著來的。

這是我們的板牆，南方裱畫上牆用的是木板牆，老先生們來北京後發現太乾燥，紙的伸縮率不一樣，後來做的紙牆。最底下是木格子打底，然後每個木格子貼紙，隔一個貼一個，再補窟窿，最後糊大紙，一層一層糊，三十多層形成紙牆，這種牆吸潮。

情況太多了，需要經驗的積累，要想獨立接觸文物，恐怕你出了師也獨立不了，沒到五年、十年獨立不了。每件文物都不一樣，材料質地、破損程度、受損原因多種多樣，不可能說我這件做好了，下一件就一定能做。我已經幹了那麼多年，我也不敢說自己都掌握了修復全部的奧祕。就跟病人一樣，同樣的病，在你身上和在其他人身上，可能醫生使用的方法就會不一樣，因為病人的體質不同。為什麼管修復叫畫醫呢，跟醫院有點類似。醫生做手術多，經驗就多。我們這個也完全靠經驗，經驗從哪兒來，就幹活，多

看看師父都是怎麼處理的，多問，多學。

我師父是比較樸實的一個人，對待工作極端認真。你看他一上班就幹活，這些東西都深深地影響了我。其實我也有習慣，一上班就永遠把活擱在（手）底下，這確實是從他們身上潛移默化的。就放不下這些東西。你老說工匠精神，工匠精神不就是對工作點點滴滴，就是你能跟你的工作對上話？實際上就是一個踏實的心境，這些東西其實都是潛移默化，從師父那裡感悟到的，不見得他跟你說什麼，而是你從他身上去感覺這種精神。

要是你跟你的工作對不上話，可能上班了還想家裡有什麼事，心裡不靜，沒在這個上面。「不遇良工寧存故物」，沒有遇到好的修復師，寧可不修，你修就是一種破壞，古代就有這種論述。可想它是多麼的重要。

修復跟裝裱是倆概念。修復裡面包括裱畫，先修後裱。裝裱是伴隨著古代文化傳下來的藝術體系。修復是剝下舊的裝裱，修補破損畫芯，然後再度裝裱，修復到裱畫這塊已經接近尾聲了。古書畫修復，主要有「洗揭補全」四個步驟。

洗，要根據它的破損程度採取不同的方法。字畫如果沒有特別糟，可以直接上排筆[14]按壓著洗，再拿乾淨毛巾吸走髒水，反覆操作。別看紙那麼薄，洗的時候後面還有命紙托著呢，褙紙和命紙沒揭，它托著就沒事。字畫也不會洇，老字畫早就穩定了。要是特別糟的我就不敢上排筆，溼了一淋水有可能把畫沾到排筆上。

書畫修復全關乎揭。畫芯就是薄薄的一層，托上命紙，最後面還有兩層褙紙，一張畫四層。緊貼畫芯的第一張紙叫命紙，為什麼重要呢，畫芯就依託在它上頭，如果沒有這層命紙，古畫從古代傳下來到現在什麼也不會留下。修復的時候，先揭褙紙，褙紙下面就是命紙。揭命紙時，如果水準不好，極有可能給它揭薄，揭到畫芯裡，把畫芯給扒拉下來了。所以，有的地方不能全揭，比如說一個絹本，命紙已經融入到絹絲裡，如果我們強行揭掉，絹絲就毀了。就是說，在它還很黏、不空的情況下，不要非給它剝離。

14　排筆，用長鋒狼毫製成的管狀筆，由十八管並列製成，用來刷糨糊，托染綾絹紙張的專用工具。新排筆使用前要用礬水浸洗乾淨，每次用後均要洗淨晾乾待用。——嚴桂榮著《圖說中國書畫裝裱》，上海人民美術出版社，二〇一六年。

什麼東西必須揭到底，什麼東西可以不揭到底，完全是靠你的經驗積累。

補。揭下舊命紙後，拿一張新的命紙托住畫芯，畫芯上缺失的地方要補，斷裂處要貼折條。紙本跟絹本的補法不一樣。紙本就是隱補。何為隱補？命紙托完畫芯之後放在透視臺上，底下有燈管，打燈，不就能看出哪兒缺嗎，找相同的紙張，薄厚一致，補完之後把命紙頂上來了，就填補了畫芯的缺失。補完外邊要刮口，接觸面刮成斜坡，不能有硬突，否則捲起來後會硌著畫芯。為什麼基本功練刮紙，其實是為了你今後補畫。如果是絹本，就先補後托。先拿絹補好，再拿命紙托上去。同樣也得刮口，你不刮口，絹本補口處比紙本還厚，所以刮口在文物修復裡面很重要。

書畫補好，最後是全色。現在修復領域裡提出「最小干預」原則，「最小干預」是能小修絕不大修，但有些東西必須大修，不大修就保存不了，那就大修。「最小干預」也要看是什麼東西。書畫補好了，就差全色，我們最小干預，不全了，那你說它有觀賞性嗎？比如這兒畫意缺一塊，我現在還能接，因為我知道怎麼回事。不接筆，留著缺口，過若干年這口再擴大，它是怎麼個走向你也不知道了，你連接筆的機會都沒有。不是每個領域都適合差異性修復。

接筆，就是畫面中缺東西，畫意缺失，咱們給他接上。接筆是臨摹室做，這必須有摹古畫的基礎，他才能接筆，我們兩個部門合作比較密切。在我們這個裱畫組，畫意缺失都還是要接筆。中國畫的特點，都是要完美的、有觀賞性的，要你看不出來有修過痕跡。剛才修復前的古畫你不看了嗎？要是不全不接，就沒法看，藝術性沒有了。

文物修復是個良心活。拿故宮庫房裡的活來講，特別糙的裱法還真是少，外地博物館送來的文物，有些就不按規則辦，不是補一塊就把刮口給弄俐落了。我真見過這種活，原先的修復就是整個拿一層紙，把洞堵上。假如這個洞跟那個洞挨得挺近，一刮口，兩個洞就分開了；不刮口，這洞跟那洞接上了，破損面積就擴大了。這些活都在背面，外面還貼兩層褙紙，哄外行人非常容易，有時內行人也能糊弄過去，但是時間長了就不行了，對畫不負責任。比如說一個絹本破得非常厲害，絹絲都是連帶著的，一個洞串一個洞，可能小補都補不了，那他有可能拿一張整絹給它托上去，不就不用小補了嗎，非常容易，而且還省工省力，但這種補救方法只能針對破損極其嚴重的畫；正常的破損，還是小補之後托紙。但有些人可能不願意小補，麻煩，還要一個個刮口，拿一張整絹托上就好了。時間長了，你想這絹跟絹托起來要比紙的糨子[15]厚，糨子厚必然對畫就不好。而且原本畫芯已經很糟了，褙絹也有糟的那天，如果它也糟了，那將來修的時候沒法揭了，絹跟絹擱在一塊，哪個是畫芯、哪個是褙絹就混淆了，這張畫就等於毀了。所以看你對文物的態度，要是圖快，就那麼修了，你不跟我說我也看不出來。所以說做這個工作要有良心，對文物要有一個起碼的敬畏之心。

對故宮來講，庫房裡的東西破破爛爛並不多，現在破的其實是大殿裡貼的那些貼落兒[16]，因為它風吹日曬，牆也可能潮或者漏雨。現在修復工作是一部分，還有外地博物館送過來的東西，沒有一件好修的。你看這件書法，全是裂紋，打折條都要打上千個。

故宮的文物有兩大類，一個是傳世的東西，再一類就是宮廷史跡，大殿裡貼的匾額、貼落兒等等；外地博物館就一類，就沒有宮廷文化這個東西。我覺得後者也挺重要。你去大殿看，貼了好多的東西，這個東西非常重要，它代表皇上跟大臣的關係，包括皇族的關係，包括漢大臣還有滿大臣的，如果不太注意逐漸就沒了，這段歷史就斷了。你想研究宮廷史的話，沒有這個做依託你研究什麼。所以有時候覺得畫得不怎麼好，寫得不怎麼好，但是它有這段歷史。

現在書畫修復的主要問題就是材料。以前我們修文物還能找點舊材料，好多過去不算文物的東西就當補料使了，現在好多東西都是文物，都不能再使。沒有辦法，現在只能拿新的東西去代替這個補料，想辦法讓新東西老化。要不老化，那個新東西刮口刮不了，它起毛，只有靠人工去做老化，當然不如用它同年代的東西去補更好，對吧。你想，這個畫糟了，我拿一個特別結實的料去補，它融合不到一塊，現在裱畫室最難的就是補料找不著。

絹是最難找的。找新絹時，要放大看它的經緯絲跟原來織的密度是不是相符，盡量找相符的。想方法給絹老化，老化到各種程度。有時候給它擱太陽光底下曬若干年，或者使點什麼化學藥品咬一咬舊，浸泡一下，讓它稍微糟一點，就是想辦法。現在有大學教授幫我們做老化，正在做實驗。我們組現在有一個非常遠大的目標，我們將來想自己

---

15 一種黏貼東西用的糊狀物，多用麵粉熬製而成。也作「漿糊」「糨糊」。

16 貼落，中國傳統繪畫的一種裝潢方法。

織、自己造絹。我需要什麼就自己來。一個遠大目標，還沒人呢。

我父親是老一代故宮人，他最早搞歷史研究，後來進行古代建築研究。我們都在故宮上班，但沒有一起上班過，因為他總是比我走得早。但我從小就聽父親談故宮，談對文物的敬畏之心。包括看展覽，要盡量手抱著一點，不要用手瞎指，怕你碰著什麼東西。他要是進圖書館，進個展室，拐棍必然擱在外面，他對自己要求挺嚴的，對我們也會有影響。反正我現在在展廳基本都把手抱住了。

搞文物不玩文物是我們家的家規。我爸爸始終對我們有這種要求，你既然從事這個工作，一定不要玩文物，不能再接觸工作之外的文物，所以說文物市場咱也沒去過。因為一旦介入，你再接觸舊東西可能就會有私心，比如說我們家缺點這個，缺點那個，你進去帶著私心，你工作的出發點就完全走樣了。

這好像是個不成文規矩，我還真沒看到老師傅們弄過這些事，上文玩店什麼的。他們不這麼要求我們，但他們自己是不沾的。

雖然現在新來的年輕人都是科班出身，我覺得這套訓練還是得從頭來，是兩個概念。他們可能在色彩上比我們更專業一點，但是基本功該怎麼練還怎麼練。我覺得還是應該從傳統這方面去要求。現在我帶的兩個學生，一個已經兩年多了，現在還在做裝裱，修復還沒有太涉及，沒敢太放開。慢慢來吧，慢慢我帶著他們一塊。做這個必須心境踏實，不能有太多想法。我看他們都挺喜歡的，因為他們都是搞藝術的，也喜歡文物，也都挺踏實的，慢慢來。

3-3 看一個人水準高低看他打的糨

徐建華

一九五四年，大鑑定家張珩、徐邦達、當時國家文物局副局長王冶秋，一同出面去上海為故宮請回幾位裱畫師，有張耀選、楊文斌、張興順、孫承枝等，他們解放前就已經很有名了。張興順師傅擅長修絹本，我師父楊文斌修紙本，張耀選組長負責全面的工作，等於是把一個裱畫鋪搬來了。因為張耀選文化層次比較高，他學化學的，所以他對出土文物有研究，像什麼戰國帛畫、馬王堆、山東臨沂出的西漢帛畫。其他老師傅都是修傳承有序的傳世文物，像《清明上河圖》，這些老師傅願意修這個，你讓他修出土文物他不願意。我那師父看都不願意看，不是沒經驗，這死人的活兒不幹。

孫承枝師傅來的時候不修畫芯。他是砑光[17]，都是配套來的，工序嘛，那幹什麼都得有啊，有唱戲的主角就要有次角。時間長了他的技術也不錯，就把他侄子調到故宮來接他的砑光，他就改修畫了。

我師父楊文斌以前號稱「裝裱界的梅蘭芳」，扮相好，長相也漂亮，個兒也比以前的人稍微猛點兒。上班時穿得特乾淨，白襯衣，米黃西褲，褲線可以削蘿蔔，領子特別乾淨。黑鞋，白襪子，很講究。他幹活不像我還戴圍裙，他站得很好，全身上下乾乾淨淨。他來到這兒主要是修畫芯，別的工序他就讓別人做。就是脾氣大點兒，沒有別的。

老師傅都知道，我師父家屬沒來時愛到外面吃。我們這兒原來有一個老北京，京裱的張師傅，說當時帶著這些南方來的老師傅吃去，下午快下班了，走，吃去。那時候還有洋車呢，一出門喊「洋車」，就跟在上海似的打洋車，拉到前門，有全聚德、老上海、力力川菜，西四有砂鍋居。好多都是我師父結帳，因為掙的工資高點兒。他是大爺嘛，一看就是大爺來了。喜歡熱鬧，很痛快的一個人。他要是帶飯的話就弄點兒火燒夾牛

---

17 砑光，又稱砑活，將書畫裱件面朝下，在覆褙紙上均勻打蠟，以大塊平整鵝卵石在其上研過，使其平展、熨帖，褙紙光滑，以免畫芯與褙紙在舒卷中摩擦受損。

肉，他帶飯也比別人吃得好。在當時來說，他的生活水準算高的。回家就還是按照原先家裡的口味吃，燜點兒米飯，炒個菜，包幾顆湯圓。

摹畫組比裱畫組晚一點兒成立，那裡面的兩位南方師傅是吳院長請來的，一位叫鄭竹友，一位叫金仲魚。還有一位是治印的金禹民先生，那是老北京，滿族人。本身南方人到北方來的就少，以前這些南方老師傅關係很好，春節互相拜年，熱熱鬧鬧幾家吃頓飯，親戚似的，後來文化大革命不是階級鬥爭嗎，就有分歧了。

我們裱畫室最早有三個幹部，第一個幹部就是張耀選，組長。然後就是我師父楊文斌，還有一個叫張興順，他工資跟我師父一樣高。一九六〇年到一九六二年不有一個困難時期嗎？幹部發菸啊糖啊。他們就有這個待遇，當時就管他們叫糖蛋幹部。

一九四九年以後、來故宮之前，當中這段時間，沒有畫可以裱，我們這兒幾位老師傅都從上海回家種地去了。那個年代誰裱畫啊？高級知識分子才裱畫。一般的家庭過年過節弄張年畫就不錯了，有的年畫都買不起還裱畫？只有我那師父當時沒回家，他沒種過地。一九七〇年主席不是說要備戰備荒嘛，文化部都上咸寧五七幹校，他也沒去。他幹不了農活，從小沒幹過。當時有一個政策，願意回原籍可以回原籍，帶工資走。但是其他師傅都去了，當時很多人動員家屬一起上幹校，家裡成分比較好的都動員上幹校。

我師父十三歲就學裝裱，其它什麼都沒幹過。沒上幹校之前我們這兒軍管，解放軍戰士教列隊齊步走，我們師父走不了。他很難接觸這種事，他也不願意參加亂七八糟的事，他就是一天到晚幹活。

我是一九七四年部隊轉業分配到故宮博物院，就說讓我到修復廠。一毛錢買了一張票，走著就進來了。到太和殿，有一位老先生，我跟他打聽修復廠都有什麼工作，說有修錶的、木工、鑲嵌、裱畫，他說這個年輕人望穿了都來不了。我呢是個生虎子，我確實不懂什麼叫裱畫。一九四九年以後哪兒有這行當？

文化大革命以後又招了一批人，當時吳仲超院長有兩點要求，在有限的情況下，老師傅能具體地辦兩件事。第一件事就是培養信任，第二件事就是把故宮所要修的一級文物，在精力允許的情況下修完。我們有幸也趕上這個好的機遇。

一九七四年到一九八〇年，「石渠寶笈特展」裡的畫，大家所熟知的那些宋畫，很多都是那時候修的，《清明上河圖》、《遊春圖》、《五牛圖》，老師傅們所用的手段，用的材料，我見的太多了。我發現師父有幾個特點。第一他對這個材料很瞭解，知道它是什麼樣的畫，什麼年代的畫。他對材料的辨別能力很強。當時有一個好的條件，那個年代能拿文物補文物。就是說非文物，或者是三級文物，我就能給處理了，從文物商店買回來，處理了補在這宋代畫上，現在不行。第二呢，他對紙的紙性很瞭解。什麼叫紙性，就是這兒有一個洞，你要知道，那兒用的是什麼紙，什麼料，它的成分是什麼，你才能補好。還有一點，他對顏色的靈敏度很高，他要補全那顏色，裡邊含的是什麼，赭石、花青、墨。再有一個呢，就是在工序上他很精。就說他做這個冊頁也好、手卷也好，很精。他跟別人的做法，有的地方是不一樣的。

有一句話說：看一個人水準高低看他打的糨。糨子也分很多種，南北有區別。北方人用小粉糨，剔了麵筋的；我們這兒用的叫麵糨，老話叫老虎糨，富強粉直接沖，就跟調糊似的，拿溫水調，比茶湯稠。它裡面放一點礬，第一是漂白用，第二是定型，第三是防腐。你看吃的那個涼粉、涼皮不都得放礬嗎，時間長了可以保留。

打糨算學徒訓練的基本功，最基礎的，但是不容易打好，新手天天打也得打個兩、三個月。要掌握好比例，只能靠眼睛和經驗，所以這個工作打得越多經驗才越多。別人打得好，比例資料給你也沒用，不親手打都不行。不只是水和麵粉比例，還有你放多少明礬，還跟氣候有關。好比說冬天跟夏天，底水溫度多少都不一樣。什麼是底水？它不就跟小孩吃澱粉似的，不是先打一個底子，完了再沖？直接沖全是疙瘩。底水涼了，天氣也冷，就打不熟。打生了不黏，全熟了也不黏，火上熬熟的糨子不好用。好用的糨子就是人手打出來的，百分之七十到八十的熟。怎麼判斷？打得多就知道了，熟了裡面沒有麵筋。

一入門先學打糨子，磨刀打糨子。磨刀不光給自己磨，還得給老師傅磨。好比這個師傅帶你學習，他的刀就是你磨。磨刀是很重要的訓練，刀是工具，不會修工具你還幹什麼。那刀很難磨的，刀刃磨圓了不行，不開刃的部分必須得平。你行不行，技術高不高，看你這刀子就可以看出來。

磨之前師父會教，打糨子也教，怎麼修刷子、怎麼用刷子、怎麼用排筆，都先教你一遍，但是不會老這麼說，他看你這徒弟靈不靈，愛幹不愛幹。他一看徒弟主動在那兒磨，磨得還不錯，他就喜歡教你；你不愛幹活，那他還教你幹嗎？他費勁，你也費勁，弄這不高興的事幹什麼？就推了，不告訴你了。

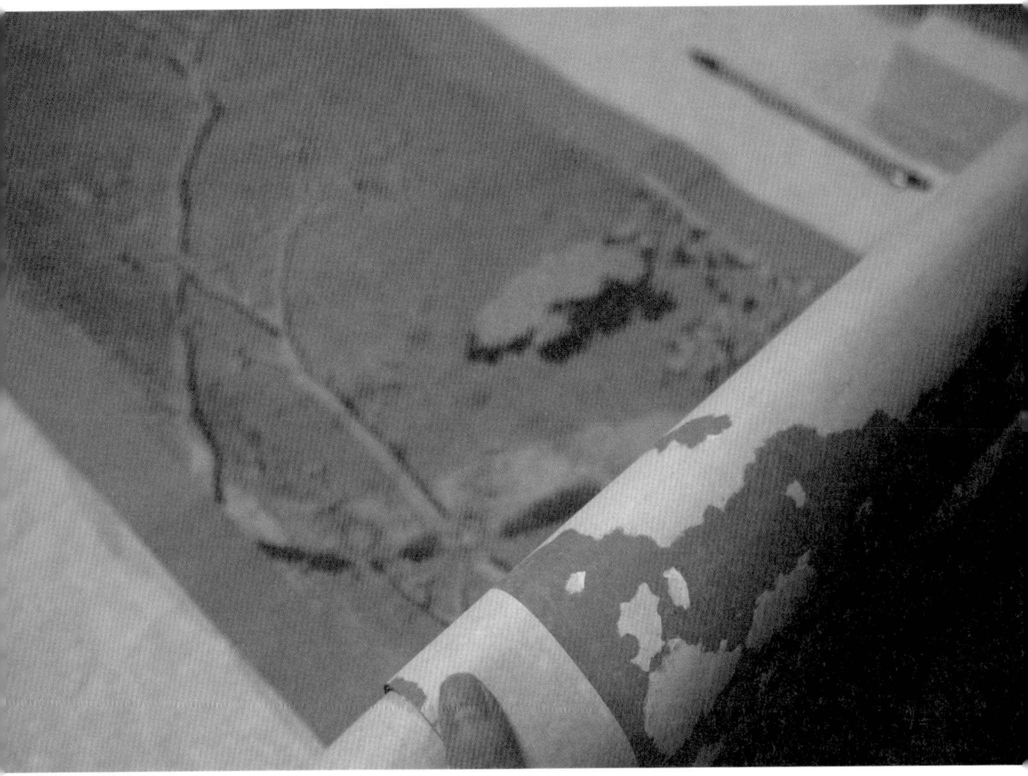
斑駁脫落的古書畫，見證了歷史的更迭

以前師父其實心裡都有數，很少說到三遍，能給你說兩遍就可以了。那時候當徒弟要聰明，某種程度上得走他前頭。師父來了，你這兒給他都歸置好了。沏水、打水、掃地、歸置工作室屋子、掃院子，你這孩子勤謹，可以。八點上班，我那時候都是七點就到了，比老師傅還早，因為老師傅七點半就開始幹活了。基本上家裡的事不管。不過小姑娘一直我帶著，從上幼稚園到初中就一直跟著我，因為她上幼稚園就在故宮幼兒園，上小學是西華門小學。那個年代的師傅不會講得那麼細的，像這個拓糨子，一開始給你講怎麼拓怎麼弄，講完了以後就不管了，你練去吧，慢慢就靠你自己的悟性。再有一個就是你看他幹。你看他的手法，他所用的工具，到哪道工序用什麼工具，怎麼做，甚至是他的黏合劑的濃度、顏色。你得老盯著他，老追著他，他在哪兒站著你也在哪兒站著，他在哪兒坐著你也在哪兒坐著，你老跟著他。他正幹著，你卻跑了，一會兒這道工序幹過去，完了不會了。你問別的師傅，別的師傅可能跟他手法不一樣，他一眼就看出來，「你這不對知道嗎？」別看你做出來了，但是效果跟他不一樣。

師父還會考驗徒弟。先給你一張紙來看你會不會拓，你一拓一個大窟窿，壞了。他甚至知道你就要壞，就讓你拓，他的目的就是指導你嘛。拓壞了才能告訴你，這種紙不能這麼拓，應該怎麼拓。很簡單的一個方法，就是把清水往紙上一灑一悶，悶完拿鬃刷刷上糨子就行了，但是你直接拿糨子刷，一拓，紙沾排筆上就完了。

為什麼說最好是一個師父帶一個學生？太細了，每天朝夕相處，想起來什麼、做到哪兒了，都給你說。中國傳統師徒制的好處就是小班制。

基礎課我上了半年，打糨子、磨刀子、刷紙、做墩子，完了做複製品，先做立軸，然後做手卷，再做冊頁，這都是程序啊，整個一套下來就知道裝潢的形式了，雖然修復你還不會，但是這種形式你基本掌握了。你掌握刷子、排筆刀了，你就可以幹別的工作了。半年後可以分到別的師傅手裡，單教。

前半年的基本功，是一個師父叫孫孝江的帶著，他是一九五八年後來的，小組長，還有一個就是張金英。學完了上前屋去，一人分一個師父。那個時候學得就比較精了，師父做什麼你在旁邊看著打個下手。因為我當兵在上海，師父講無錫話我能聽懂，所以我被分去跟楊文斌師傅。師父家裡就一個老太太和他的時候，我跟我那師哥幫助他挺多的。因為他說無錫話，看病大夫聽不懂，一般都我陪他一起看病。後來他姑娘來了以後我就管他稍微少一點。

在這裡頭他名氣大。我是小學徒，他呢，在上海都已經有名了。說這個人是幹得最好的，我很高興，但有一個問題，緊張啊，越幹得好的當他徒弟就越緊張。第一壓力大，第二你也不能丟臉，老得爭第一，不能給我師父丟臉，要好好幹，這個那個的，老得走在前面。當時十多個年輕人都在一塊，誰來了都不能落後啊。

老師傅特別好的地方，就是對文物的熱愛已經超脫了一九四九年以後。熱愛的程度不一樣。他的工作態度也不一樣，桌子上的衛生，糨子、工具，還有文物的收藏、保管都非常俐落。那時候制度定得也很死，誰也不能犯錯誤。你要犯了大錯誤你就沒工作了。你犯這錯誤天天給你開會，天天學習。

做裱畫容易得胃病，一是老高度緊張，每張東西都一定要往好處做是吧？不能出任何文物事故，出了事故做三天檢查也過不了關，再說，誰像現在的年輕人三天兩頭跳槽，以前沒地方找工作，就是這個工作要幹一輩子呀；二是跟這張大案子有關，全顏色要天天接觸，就得靠著它。這是大漆，生漆，它涼。最後有的同志就墊一塊棉布靠著。我也胃不行。胃病是裱畫室的一個世代相傳。但我徒弟吃嘛嘛香[18]，他沒事。

我從師父那兒也吸取了好多。第一就是不管幹什麼工作，這個人的人性跟品質要好。第二呢，就是你對文物的認知程度，和你對文物的熱愛程度。再一個呢，你在這個工作中能起到什麼作用。有人說修文物，常在河邊走哪兒能不溼鞋。溼鞋有整個人掉裡頭出了大問題的，也有出小問題的，重要的是出問題的時候，你怎麼彌補它。就像醫院做一手術，需要多少個護士，多少把鉗子，那都得預備好了你才能做。

那時做修復文物的第一步，就是要和書畫部的專家聯繫。像徐邦達，他們要我們修哪件東西，他們寫出要求來，然後我們寫出方案來，我們應該怎麼修，最後達成一個最好的修復方案。完了以後請院長簽字。但那個年代，院長是要點名的。不是說這件東西隨便人修，不行。這件東西就是楊文斌修，或者張興順修。

展子虔的《遊春圖》很難修，當時落到師父頭上他也很緊張。就跟發射原子彈似的，就說咱們要發射了。它是中國第一張重彩，到現在快一千四百年了，局部破損，顏色也

18 「吃嘛嘛香」，方言，意思是胃口好，吃什麼都香。

已脫膠。在修復時，首先它是重彩，上水淋洗前，要先用一定濃度的膠礬水輕刷在畫芯正面，達到固色效果。這一步驟重要的是膠水的成分和濃度。你的膠上去，幾比幾的膠合適，你要試一下。就等於一點一點往裡滲，做一回看一眼，晾乾後用小絨布擦，掉色的話要再刷一遍，我記得那時候是加固了兩次。

第二個關鍵就是你怎麼保存這畫。有歷代補的、歷代畫的、歷代修過的，這三方面你怎麼處理它。你要決定哪一筆要留下，哪一筆不要留下。翻過來把命紙、褙紙都揭掉，就剩下歷代補的上千個條。但是你哪條要留，哪條不留，你都在腦子裡要記著。補條上有畫意，弄不好，小人的鼻子眼睛就沒了。全揭下來不行，拼不上去了。怎麼辦？揭一半潮一半，塗上糨子，把它貼回去，之後再揭另一半。你想想，《遊春圖》裡人特別小，一揭沒揭好，眉毛沒了，帽子掉了。好多專家憑建築和服飾鑑定畫的年代。沈從文來了講服飾，傅熹年看古代建築，它有好多歷史資訊在裡邊，你要給它揭掉就沒了。

還有，黏合劑的厚度你得注意。黏合劑的厚度太厚，裱好了以後它就裂。為什麼老師傅裱了那麼多東西，裱得那麼好，還有一個原因，他用料用得也確實不錯。因為它本身是國寶，我們就可以從庫房裡提點好料，提點民國的紙、乾隆的紙來用。不像現在，一張都不能用，都是文物。那時候還能用點宋錦，現在一點都不能用了。我記得非常清楚，師父說修《遊春圖》最關鍵的，這個邊你一定要用乾隆高麗紙，把乾隆高麗紙揭的很勻很薄，當局條[19]。

雖然楊師父說這畫不論哪個朝代的都要一視同仁，但真修到國寶還是不一樣，驗收的人都不一樣。一級文物誰來？徐邦達、啟功來驗收。徐邦達看畫意，王以坤看裝裱，劉九庵來也看畫意和裝裱，他們分工不同。

師父在那個時候，跟那個唱戲似的，唱出名來了，好多人對他很尊重。有時一看是楊師傅修的，他的表現就是那種，「楊師傅修的，不用驗了，收了吧。」當然他不能說出來，是這個表現，看一看單子上的名字，「行，收了吧。」看別人的，「你打開我看看，這兒缺點顏色，那兒有點折，且看呢。」他給你挑出毛病來。那個時候師父也護著我，

19 局條，是連接畫芯與鑲料的橋梁，一方面保護畫芯，另一方面可襯托畫芯筆墨色彩，起到裝飾美化作用。——陳子達主編，李漫著《書畫裝裱》，中國美術學院出版社，二〇一五年。

看那驗收的來了，一看到我這兒了，他就站起來了。人家看到徐建華的會說，這跟楊師傅學的。本身師父要求的就嚴，要驗收了他先看。

七〇年代工作室裡沒有任何降溫的設備，電風扇也沒有。研光的時候旁邊老放一個手巾擦汗。不是故意不弄風扇，窮嘛，國家就是沒有。後來有風扇了，說裱畫室不能擱，把文物給吹壞了。一直到八幾年才有電風扇。老師傅熱的，大中午拿著筆，汗糊一臉，熱得夠嗆，就是這麼著，幹起來也是爭前恐後的。

現在我們太省事了，以前天天掃這院子，掃了三十多年了。天天早晨一來就打水，打完水掃院子，大熱天也要拔草。好像故宮那時候有一個規律性的東西，什麼院長來了也一樣，什麼頭不頭的。我最近到養心殿去了兩次，現在整個都變了，收文物、裝文物、抬文物都由那個公司管了。原來都是自己幹，除了特別老的不讓他上去，一般中年的或者稍微老點兒的該上去。高的，太和殿的說明，吳院長在的時候不許有電子版的，都是手寫的說明，周老師跟我一塊貼，我們都在最上面，高極了。一提這個就太複雜了，你想想，午門外頭那一颳風，你紙不崩嗎？一崩了每兩、三年就得換一回。好傢伙，兩、三年就得爬上去一次。

楊師父一直沒離開裱畫室。那時院長派一輛汽車給這幾位老先生輪流拽來，看看聊聊。一九八〇年分房，我給他搬的，從東華門搬到工體。文物保護所也搬家，跟我們搬到一個院裡。他在那兒坐著呢，那車倒到他跟前，他站起來拿拐棍杵汽車，汽車還倒，給他撞了。得，腿動不了了，來不了了。一九八二年的時候去世了。

一九七九年中央有一個檔，說單位能改企業的改企業，文物修復廠改成企業，就單獨核算，和故宮的帳脫節了。我們就歸服務公司了。招來一大批人，凡是一九七九年九月份來的那一批年輕人就是在這個前提下來的。一九八七年又成立文保科技部，跟修復廠合併成一個廠子。這個年紀頂上來一批，但是又遇到出國熱，裱畫室也走了四、五個。出國熱第一批是幹部子弟，第二批是高級知識分子的子女，最後是一般老百姓的子女。裱畫室走了五個。當時是時興，一開始出去幹得還行，後來也不一定好了，現在一比，有的還沒我賺得多。

院裡安排我去讀大學，那是七幾年的事了，工農兵大學生嘛。我沒這個想法，還有我跟老師傅在一塊兒關係還挺好的，再換一個環境就……所以就算了。八三年、八四年，讓我負責整個修復廠。沒這能耐。我不愛得罪人。我這人當不了幹部，跟人打交道、跟物打交道是兩回事，一個會說話，一個不會說話。文物不會說話，但是不會說話你也得尊重它，是吧？會說話的那個不是就更生氣嗎，你管誰不也得生氣嗎？

當領導我真是不願意。我喜歡這種工作，沒準一換工作就不行了，達到不了我現在這個效果。上完大學的人就不在這兒待著了，其實不一定比我在這兒待得要好。上完大學哪有說還修這個的，都想當個小幹部，心不在這兒了。你看頂替我去上大學的，上完大學沒回修復廠，去了博物館，從博物館調到文研所，在辦公室一待，跑跑事，沒到歲數退休了，其實什麼都沒幹成。還不如在這兒還能修點兒國寶。

那時候領導職稱和收入掛鉤的很少。以前幾位老師傅拿的工資比修復廠廠長高很多。那時候廠長沒多少錢，才八十多塊吧。現在的年輕人也分人，不一樣。有一種年輕人是喜歡當領導的，有一部分人是喜歡搞專業的。反正搞專業的人就是腦子比較簡單，想得比較少，單純。

當科長時我也很少管人，不怎麼說話，在領導面前不說誰不好，不願意得罪人。楊師傅也是，做好了他看在眼裡也不言語，做壞了也不言語，不太愛說。中午喜歡一塊打打牌開個玩笑。當時南方一起來的幾位老先生關係都挺好的。南方人到北方來本身就人少，熱熱鬧鬧幾家吃頓飯，春節拜年互相串串，親戚似的。從文化大革命關係就不好了，就有分歧了。你家裡出身不好了，你是資本家了。也不吃飯了，也不怎麼串了，也不拜年了。

所謂文物修復的「最小干預」原則，一開始提出來是因為西方人不會修中國畫。中國字畫流落到國外，他們沒有那個工作能力，沒有修復能力，他也不理解中國畫的修復理念。二次世界大戰以後好多日本人到國外去裱畫，把中國畫按照日本畫裱，或者按照西方的畫裱。現在他們也都是照中國的方法修了，中國畫必須按中國的裝裱修復方法修，知道嗎？

我們現在還是修舊如舊，沒有差異性修復。要那樣更好修了，不追求原件不更好修了嗎？要按這個還修它幹嗎？我們還保留呢，保留明代、清代的接筆，要保留。你看《清

明上河圖》可能有明代接的筆，《遊春圖》沒準有宋代、明代接的筆，要保留。他不會做，他當然就強調差異性。

整個故宮有一個原則。我學的時候就是傳世文物必須要接筆、全顏色；出土文物就不全顏色、不接筆；書法要是大面積壞了也不接筆、全顏色，那就完了。這是故宮的原則，它不按外邊的原則走。要那麼說的話，我們這兒老師傅修東西就用不上他們的高超技術了，摹畫室就解散好了，還接什麼筆、做什麼畫啊，當時為什麼弄摹畫室？就是讓他們接筆。

全色是把顏色全成原來的顏色，你補上的紙或絹比原來顏色要淺，所以一定要跟它顏色補齊，看不出來，那就叫全色；接筆就是說這兒有缺畫意，斷了的，摹畫室去接。全色我們自己調，自己修。那工序特別多，從一開始就要注意了。從那張東西一拿來就知道這張畫壞的程度怎麼樣，用什麼方法、用什麼技巧、用什麼工具、用什麼材料來修它。

畫拿來先不要動，考慮一個禮拜都不要緊。《遊春圖》拿來，《清明上河圖》拿來，考慮一個禮拜沒事，你坐那兒看著它，你就上那邊溜達溜達找材料去，補的材料。用什麼紙、怎麼做，第一步怎麼做、第二步怎麼做、第三步怎麼做。材料以前可以庫房領。現在有五幾年的、四幾年的、七幾年的。原來有文物的，非文物的，或者仿製文物補這個原件，現在不能用。我們就用新的，但新的不好用，因為沒有包漿。以前還可以自己去琉璃廠買點兒舊畫，現在這也不行了，因為每張都是文物。殿裡面的芝麻紗都是文物。一九八五年之前還可以用，現在不讓用了。樂壽堂的芝麻紗是道光的，現在都是新的，壽康宮裡的都是新的。

絹可以用五〇年代、六〇年代、七〇年代的，解放前的文物都已經不能用了。紙也一樣，我們就壓著用，每年買新的，每年用舊的以保證庫存，倒著用。但是老紙不能用了。你現在給造紙廠錢它也做不出來以前的宣紙。應該拍造紙的，應該前幾年就拍《我在故宮修文物》。

找材料是一個很繁瑣的工程，很困難的。找材料也是一個眼力活，是眼力也是經驗積累。

現在大家的修復態度跟以前不太一樣，以前是哪個好修哪個，特別有勇氣，現在好像是有點兒怕捅婁子。領導都怕捅婁子。我接觸的一些國外的博物館、國內的博物館都有這種態度，世界通病。能小修的小修，能不修的就不修。你看我們這兒多少年了，沒修過好的文物。年輕的同志應該跟老同志修一些特別好的。裱畫室都沒有特別好的真跡，摹畫室更沒有。以前那院長都是美院調過來的，從楊伯達開始一直到楊新，就是對書畫有興趣，他就要修。還有徐邦達他們，大家喜歡修這個，有榮譽感。修貼落兒有什麼用？鍛鍊不出人來。你在協和醫院跟社區醫院見的病症能一樣嗎？協和醫院見的都是疑難雜症，到社區醫院都是高血壓，到那兒就拿個藥，沒別的。

修不同的文物，手段不一樣，裝裱手段不一樣，你見的材料不一樣，責任不一樣，壓力不一樣，好多不一樣湊在一起了，壞了，思想就沒法提高，提高不了。我覺得有一部分人應該有一個工作室，帶些年輕同志修些故宮現存的較急需要修的精品。

是不是老師傅們都修過了？青銅器可以這麼說。青銅器差不多了，這科技部的各種門路的事我都知道，他們說這句話我同意，他們沒有什麼可修的了。書畫不一樣，我這輩子、下輩子、下下輩子都修不完。很久沒有見過好東西，一級文物、二級文物，都見不到。

我跟你說，這學生修貼落兒都快極了，手都非常的快，修得又好，品質非常高，比以前我們修的水準要高。他們上升的空間應該在文物上面。我來的時候是一張白紙，人家專業肯定比我那時候強。所以看年輕人不要用老的眼光；第二個，不要用老的制度來管理，應該跟他們打成一片。你不能說今天怎麼又來晚了，老是反覆說這個，人就煩了。大家一直在要求進步，你得給他這個空間，知道他想做什麼，想跟哪個師傅去研究什麼；領導也要多表揚、少批評，他的進步就快。

爭取修好的文物也是給年輕人爭取機會，有機會他就成長得快。最起碼故宮跟別的博物館肯定得有不一樣的地方。故宮存那麼多的文物，那麼多的好字畫，你得跟那個成比例啊。

我那時候年輕，跟老師傅修《遊春圖》，讓我鑲，鑲就鑲吧，弄就弄，他讓我幹什麼就幹什麼，中午吃完飯他睡覺我也睡覺，起來就幹活，完了就食堂吃頓飯，就那麼回事。現在我覺得，哎呀，我摸過很多宋畫，我見得太多了。不是楊師傅修的，別的師傅修的我也在場，我都看見了。他們所用的手段，他們用的材料，這別人說不出來。

修到好的文物有三個階段，第一個階段就是緊張，任務交給你了，你拿這個怎麼

為固定畫芯上的裂痕缺損，古書畫的背面經常貼了不少宣紙條

修，用什麼紙，怎麼弄，達到什麼效果？跟那螢幕似的，一過一過的對不對？甚至晚上也要躺在床上想一想。好幾天心情老是煩躁的，幹起來後更緊張了。幹到一定程度把畫芯托好了，事就算都完成了，那裝裱就太簡單了。就可以聊聊天，吃個飯高興一下。等驗收人來驗收了，一說這挺好的合格了，那你不就感覺更好嗎？

這兒給不了我多少錢，給我連飯費加起來一個月三千塊錢。我出去開一次會一千塊，要真為掙多少錢我就不來了。來這兒一是帶新人，二是這兒有一些事他們還得問問我。

幹我們這行，不倒文物[20]發不了財。裱畫的人從舊社會到新社會，不倒畫、不賣假畫、不收藏，你裱畫鋪開不了張，頂多維持生活。你看在琉璃廠開裱畫鋪特別大的，它後邊都有賣畫的。琉璃廠最好的就是王以坤的鋪子，他都敢賣《遊春圖》，你想想，那個鋪子多大，那是裱畫鋪嗎？也裱畫，但是他後邊在倒文物呢。

跟一個月能掙幾萬的比，我們這兒呢，只能弄一個生活費。但是這兒比較穩定，藝術氛圍比較好，能看到真東西。能看見真東西，你才有修復的技能。你要站到比較高遠的地方，再加上勤奮努力，才能把這手藝繼續下去。

「石渠寶笈」特展展出的時候我也去看了。我不看畫，看畫幹嗎？我看觀眾的反應，我得看看，他們對我們裱畫的反應，對我們使用的修復材料、裝裱形式的看法，我就看看老百姓對這些東西的認知。很滿足，我跟你說。我不看這畫，我看人，我看他們在說什麼，排那麼長的隊好幾個小時都幹嗎來了，是吧？

站在那兒我特高興，為什麼呀？這是我們血汗和智慧的結晶你知道嗎？我去檢驗成果去了。再看看我們裱的這些東西，怎麼裱的，甚至於當時是哪個老師傅帶的、誰裱的這個我都記得，跟重播電影似的。看看，再看看。

---

20 倒文物，指未經官方許可而透過投機手段以低價購入文物，再以遠高於購入價的價格出售。

3-4 磨刀的過程，其實就是在磨你的性子

楊澤華

我是一九八一年來故宮的。當時故宮博物院跟英國有一個合作，複製青銅器，招了一幫年輕人，我在那兒跟著趙振茂老先生幹了三年，之後就分到各個組。我覺得不管什麼事都是一個緣分。我更喜歡的就是裱畫，從那會兒一直到現在。人家說了，裱畫就跟那大醬缸似的，你掉進去了，這輩子就爬不出來了。

裱畫室的發展其實挺有意思的。建國時文保科技部只是一個修復廠，做些簡單的修復。後來形成這麼大的規模，應該是從一九五四年，因為急需修復像《五牛圖》、《清明上河圖》這些珍貴的書畫。國家文物局和博物院的院長，從南方挑選了有名的一些修復大師，請到了故宮，組建了故宮博物院書畫修復的基礎。我覺得他們的貢獻不光是修

7
人走关灯
下班断电

復了《五牛圖》、《清明上河圖》，更大的意義是他們帶了大概有十幾名的徒弟。也就是從那時起，博物院開始有了書畫修復技藝傳承的脈絡。我算是第三代。這些老師傅當時都是從蘇州、上海那些地方來的，所以我們傳承的是蘇裱的技藝。

我剛來時是複製青銅器，所以青銅器的基本功已經練過了。搓銅、磨刀，那三年其實已經磨過一次性子了。說實在，我們那會兒淘氣，因為我們那幫小夥子什麼氣都淘過，也淨挨批評。在後海游過，筒子河也游過。筒子河是不讓游的。吉他就是那時候學的，王有亮也會，我們剛看港臺片時就迷住了。你也知道，過去有「茬琴」[21]那麼一說，當時沒人教，誰也不知道去哪兒學，但是特別想擁有一把琴。我記得那時候二十多塊錢一把琴，中午休息的時候，我跟王有亮一幫年輕人彈吉他唱歌。包括現在木器室劉師傅中午有的時候還拉二胡。不敢去後海茬琴，到不了那個級別，就是喜歡唱唱歌。我們那時候下班不回家，一般去工會，打橋牌，打球，乒乓球、籃球、足球都玩。故宮打籃球是有傳統的，我們那會兒老跟當兵的比賽。

蛤蟆鏡、喇叭褲，都幹過，反正我們頭髮都挺長的，最長的時候頭髮都過肩了。老師傅倒沒怎麼說，領導有時候會念幾句。領導那時候把我們當孩子。王有亮好像因為出去玩被師父說過，有時玩瘋了回來晚了，我們也被說過。王津沒被說過，他比較正經，打橋牌他也不跟我們玩，打球他也不跟我們玩，滑冰他跟我滑過。

我到裱畫室的時候，已經熟悉故宮裡的節奏和要求了。裱畫室有自己的基本功訓練，隔行如隔山，所以又當了一次學徒。當時我們有三個人去裱畫室，廠裡還擬了一份師徒合同書，大概內容就是誰帶誰，三年之內要完成什麼、學到什麼。在這之前，老先生教我們師父的時候，明確是師徒關係，但是沒有合同。

傳統師徒制學徒都是三年，這三年主要是基本功訓練，包括現在我們也是。新來的一年之內不能碰文物。然後在這三年，慢慢師父會讓你打一下下手，端個盆、打個水、擦擦汗，或者是「你幫我翻一下、抬一下」，慢慢你可以上手去跟著師父一塊兒幹了。實際上，你在打下手的過程中已經開始接觸文物了，那時你已經知道正確的手法，特別是在意識上知道小心文物。記得特別清楚，在銅器室時趙先生跟我說，這銅器有規矩，

21 六〇到八〇年代間流傳於北京的一句俚語，指的是青少年相互較量、切磋吉他琴藝。

《崇慶皇太后八旬萬壽圖》的二幅局部圖

一開始你只能看，別輕易就伸手。帶提梁的東西，別伸手就拎。他說得對，青銅器這東西，有時看著挺完整的，但是它內部的損傷你不清楚。一失手拎了，它內部已經鏽蝕了，壞了那不麻煩嗎？各科室都有自己的規矩。

雖然又當了三年學徒，當時並不著急，因為你知道這是一個水特別深的行當。文物有普遍性的傷化受損，另外每個文物還有它的特殊性，每個文物的情況都不一樣。而且，不像IT行業可以不斷地跳槽，一旦從事傳統技藝，那肯定是一輩子的事。我們這兒沒有說學兩年走了，不幹了。可能有幹不下去了走的，但是還真沒有來回辭職跳槽的。

每個傳統行業的學徒都是有講究的，我自己也在寫這方面的文章，比如說磨刀訓練。馬蹄刀磨起來特別不容易，又講究，比如刀刃不能是圓鈍，一定要是一個斜面。後來有好多新的刀具出現，比如說美工刀，特別方便。刀片用鈍了不用磨，一掰又是新的，不行我再換一刀片，很快。為什麼還要找廠家去按照老樣子做馬蹄刀？每個人我都給他做一套不同大小的馬蹄刀。馬蹄刀首先代表了書畫裝裱技藝的傳承，特別是蘇裱，從宋代就有了，它有歷史資訊在裡面。另外，磨刀的過程，其實就是在磨你的性子。半天你都不一定磨得好，要不厭其煩去磨，磨完要拿馬蹄刀挑刮紙。宣紙，一刀一百張，拿一揉，一頁一頁挑，把紙上的一些小沙粒、髒東西挑掉，挑完這一百張，調個面，再把那半拉一張一張挑乾淨了。其實現在這宣紙也不像過去有很多的雜質，你不用挑也沒事。實際上這兩個過程就是在磨你的性子。讓你能坐得住，能靜得下心來。

我進裱畫室就是跟徐建華師傅。我倆脾氣有點像，不管是師父還是什麼，都是緣分，得投脾氣。我們這兒不乏失敗的師徒關係，誰也看不上誰，這就完了。

我剛來的時候也坐不住。有一次給一張畫鑲邊，這個流程不能斷。我愛玩，正好休息時間，外邊一叫我，「蹭」就跑出去了，活沒幹完。等我回來徐老師已經給我弄好了。人家老先生跟我挺客氣，說下回想玩就踏踏實實玩，幹活時就別想著玩，不能中途就斷了。人家說得挺客氣，但是說得跟搧我一大嘴巴一樣。就那一次，不用再說第二次了。你看研光打蠟，因為那研活有一節奏，咣噠噠咣噠噠，天熱，師父在旁邊累得睡著了。但是你真要是偷懶的，眼睛就睜開了。為什麼？節奏不一樣，聲音不一樣，他就知道你心裡怎麼回事。不想使勁了，想快點，咣咣咣咣，節奏就不一樣了。師父不用看著你，他聽聲兒就知道你怎麼回事了，「歇會兒吧。」人家也不說你。北京人這幽默，他這話會反著說。歇會兒吧？你心裡不好意思了。

轉變是不知不覺的。比如我們幹活時上下手的配合，師父幹活時你打下手，下手不容易，不能讓師父老跟你要東西，他一伸手，你得知道他要什麼。實際上，上下手配合好了是很安靜的，不用說什麼，師父反一把手的時候，你就知道該拓那飛肩[22]了，不用他說，早早地就給好了，他要竹片再遞給他。這個過程特別安靜。不知不覺中上下手有一個轉換，師父可能是有意的，比如碰到活，他說你上。比如覆褙紙，技術要求挺高的，一開始師父不敢讓你上手，它是一個漸變的過程，可能師父會有意無意地，你也不知不覺地這活兒怎麼幹著幹著上手了，師父給你打下手去了。實際上是師父對你的一個認可的過程，他有意把你放到前邊讓你去幹。

沒到上手那個位置時，你會有依賴性。師父在你邊上站著，你心定，不怕出事。但是角色轉換過來，不一樣了。就跟學開車一樣，學開車都容易，但重要的是出現狀況以

---

22 飛肩，又稱廢肩，裱件背面離天桿約二十五釐米開始，用絹做包首，其他地方用紙做覆褙，紙有多餘的邊作上牆黏貼用，而包首無，因此要出兩條綾邊貼在包首位置作為上牆黏貼用，因在天頭，將這兩條綾邊稱為廢肩。待作品下牆時將兩條廢肩撕去。——蘇州博物館編《治畫記憶：蘇裱國家級非遺傳承人范廣疇談藝錄》，文匯出版社，二〇一五年。

後判斷和處理的能力。修復當中，每張畫狀況都不一樣，出現一個新的問題，以前師父會幫助你，但是角色轉換以後，這是你需要具有的一個能力。當然這一定是建立在你積累了很多經驗之後。

我刻意培養我的獨立意識，覺得為什麼師父老不讓我獨立。有一天趁他出去，我獨立清洗了一件，那是我進裱畫室的三年之後了。雖然也是按照流程來做，心裡還是撲騰，師父不在邊上，怕出問題。師父回來說不錯，很好。

印象比較深的，師父的手卷做得特別好。另外我覺得我跟他學的是一種統籌學。以前跟他一塊兒出去到哪個博物館幹活，最重要的就是工作計畫、安排，比如說，在你來的這二十天，這期間你要修復完的有多少，牽扯到什麼？我要去買什麼東西、買多少材料？不能買多了，浪費也不成。多少材料、進度應該怎麼安排，我先弄哪張畫，哪個簡、哪個易，我怎麼穿插著安排，我學到了不少這樣的東西。所以他們拍《我在故宮修文物》的時候我老喜歡扮導演角色，教他們應該怎麼拍。

我正好也想總結一下傳統師承制。過去叫師徒如父子，我說師徒的關係是維繫一生

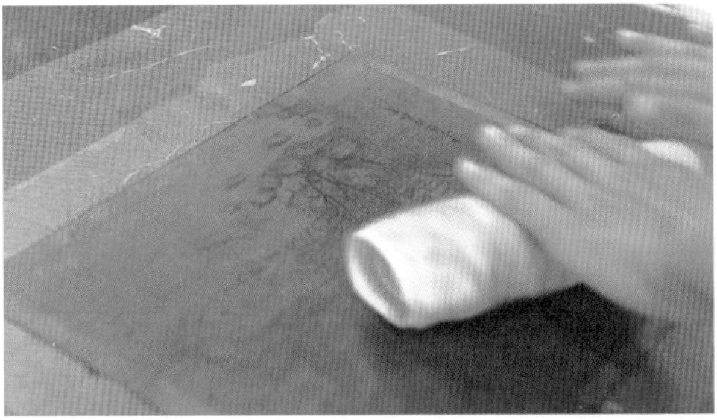

上：用水洗過後的書畫，先以乾淨毛巾吸走髒水
下：用鑷子揭下命紙時，須小心不傷及畫芯

的。它不是只師徒三年，結束就解除合同了。形式上的合同都可以解除，一點問題都沒有，但是在這三年當中，產生了一種關係，這種關係是維繫一生的。即使這個形式化的東西不存在了，師父也會無時無刻不在關心你，包括你以後的成長，他都會關心你，不斷地跟你提些經驗什麼的，它是一種師徒如父子的關係。

傳統中師父對徒弟有一生的關注。所以師承制對傳統技藝的保護是有優勢的。它不像大學裡教課，老師教完課走了，下班回家了，你學生明天怎麼樣不管了。不一樣，真不一樣。

從出發點來說，師承制有一個積極的起點。咱就說過去的鋪子，徒弟肯定要好好學，學會意味著你有飯碗，有賺錢的行當了；師父會好好教，因為徒弟的一切都會影響著他，別人說你不好，說誰？不是說師父不好嗎？你幹不好這鋪子名聲壞了，生意不也沒了嗎？所以傳統師承的出發點就很積極，學是要好好學的，教肯定也會好好教的。

傳承體現在技藝的傳承，也體現在精神層面上。很簡單的，我現在基本上是第一個來，來了以後要開門，檢查安全、打水、擦地。沒有人要求我這麼做，因為我的師父們，他們當時就是這樣，每天都是第一個來，最後一個走，檢查安全、打水擦地。等大家來的時候，工作室的這些都收拾好了，工作前的準備都做好了。所以我是耳濡目染的，我覺得我是從他們身上學到了這些動作。每天五點半起來，不到六點坐上地鐵，最後一段是從東四走過來，到單位也就是六點四十。每天早上從東四走到公司，下午從公司走到東四，就這麼走，走著走著就老了。

這種東西不是刻意的，更多的是你自己親身去感受。我跟新來的說，我不要求你們跟我一樣來那麼早。但是這種東西是言傳身教，你會影響別人。像我徒弟建祥，每天跟我一樣早，我到他也到了，還有李老師。來了還是老一套的東西，很平淡、平常的東西。開門、打水、擦地、收拾屋子，每天就這樣，是一個傳統了。

什麼叫非物質文化遺產保護？這裡邊除了技藝，還有一個精神層面的東西，它也是代代相傳的。就是對故宮的熱愛，對你本職工作的熱愛。你只有熱愛，才會這樣去做，要不然的話不可能的。我們也碰到好多苦惱的事，現在招聘的孩子，部裡面左強調右強調紀律，還經常會有人怎麼的。其實真的，如果我們像我跟我的師父，還有建祥作為徒弟，將來也會有他的徒弟，以後還用去說嗎？大講特講我們有什麼制度要求、不能遲到，我覺得那太沒意思了。

傳統技藝需要朝夕相處。一個就是剛才我說的言傳身教；再一個，傳統技藝裡面好多東西是難以描述，只可意會的。它是真的要跟師父朝夕相處，才能慢慢悟到的。

比如說裱畫修復中好多說不清楚的東西，力道的度，應該是一個什麼樣的力度，你怎麼能說得清楚？調顏色，師父說再淺半色、淺一色，一色是多少？你不知道，師父也說不清楚，所以過去的老師傅都怕寫東西。現在對我們要求高了，評職稱寫文章，還論文性的，你看不是難死我們嗎？這東西就是你老跟他一塊，慢慢幹，你多看，慢慢你就知道他到底是一個什麼概念。所以我們現在不是也恢復傳統師承制了嗎？

不僅恢復傳統，還要賦予傳統師承制新生命。過去那鋪子，他只在乎自己的徒弟，別人不好才好。我們現在賦予傳統師徒制一個新生命，就是說它是一個團隊，我想提倡團隊精神。我們科組會定期地舉辦業務交流，不是說我只教我自己的徒弟，不教別人。你看包括徐老師，誰問都告訴你，而且都特別認真地告訴你，沒有什麼保留。每個人都是自己的徒弟。當然也不排除，有的人雖然歲數不大，但還是有過去的毛病，只跟自己的徒弟說，還不讓別人聽。但是我會營造一個團隊精神的氛圍。

中國書畫它的載體就是紙、絹，這個沒有改變，所以我們的修復技藝也不會有太大的改變。但是任何東西都會受社會發展的影響，每個時代的裝裱師都要有一種開放態度，對新的事物積極地去認知和接受，你不能拒絕時代。我們現在已經有很多科技、儀器應用到修復當中了。隨著不斷地有新人到來，我也讓他們接受一些新的修復理念和必要的程序。比如以前的修復，只有一個修前、修中、修後圖片的對比。現在修復前，我們會做大量的測試，包括顏料、紙、絹，這些都是重要的原始資料，會對你的修復有指導性。比如好多顏料用肉眼看不出它是什麼樣的成分，但是資料告訴你這個東西是什麼，我們在修復時就可以參考。

我寫了一篇文章，想表達的是「修復、保護是一體化」的概念。比如說《崇慶皇太后八旬萬壽圖》，這張畫修復完以後，我們會對絹的質地、包括繪畫方面的東西做一些研究。我們的修復檔案都要寫得非常詳細。這個可能是跟以前的老師父、老先生們不太一樣的地方。我現在就要求他們，你修完東西，舊的材料一定要收集研究。包括我這兩年幹的事：找廠家做了馬蹄刀；傳統用的水油紙沒人做了，專門跑到安徽找廠家做；找廠家做仿古圖案的綾子；從庫房提畫，對照老的圖案做仿宋錦。這樣對宋錦的發展也是一種保護，而我們在修復當中的選擇面就寬了。

非遺保護是全方位的，不僅僅是單一的縱向脈絡的一個保護。

我也跟新人說，現在對你綜合素質要求挺高的，你幹這個，最起碼紙是怎麼做的你得知道，紙你瞭解，絹你得知道，絲織品它是怎麼回事你得知道，顏料你得知道，墨、筆你都得知道。這每個裡面學問都很深。所以每次出去我都帶年輕人，讓他們可以多看多學。有的人為什麼特別？跟學問的廣度跟深度有關。你的知識面的廣度跟深度越大、越厚，這個人寫出來的東西一定跟別人不一樣。（笑）我也一直在努力做這樣的人。

我剛從遷安回來，去找高麗紙了。這高麗紙跟咱們以前說的乾隆高麗紙不一樣，說叫高麗紙，實際上它跟朝鮮沒什麼關係，實際上就是咱們國內自己生產的。它的原料都是桑皮。這造紙也是一個特別深的傳統行業，包括要當年生的桑樹，要在當年初雪之前砍下它的枝條，這個皮才最好。過了這個時間，桑皮就老了。而且必須是當地的紅桑，別的桑樹還不行。

我還是比較樂觀的，雖然都說裱畫材料不好找，看你是在消極等待還是積極地去做這件事。我的能力也有限，我老是說每代人有每代人幹的事，但是不管多少，你積極地去邁出這一步。後邊還有人，每個人都積極地盡自己的力量去做一點事。我相信總有一天，所有的事情都會變得更美好。

其實修書畫更多的是一個枯燥的過程。揭畫不是一時半刻能揭完的，有的畫甚至揭一個月、兩個月，那個過程是很枯燥的。他們採訪，我說你別希望我給你們講什麼新鮮的事，我們很多時候是很枯燥的。揭畫過程中，你每時每刻都得小心，因為命紙跟畫芯就挨那麼近，而且特別薄。你一定要仔細小心地一點點揭，急不得、惱不得，每天就是趴在那兒一點點揭。對，這個就是拚耐心。其實，這個人將來能不能幹得好，在這個過程中就能看出來。拍片子，應該體現我們在這些枯燥無味、平淡的過程中，怎麼來展現這個技藝。

修復過的作品，印象最深的還是二〇〇三年到二〇〇五年的倦勤齋通景畫。這工程實際上是我的前一輩和我們這一代兩代人合作，完成的一個比較大的工程。通景畫是郎世甯的學生畫的，算是壁畫，起室內裝飾作用。它採用西畫的繪畫方式，顏料層非常厚，時間長了失膠了，顏色一碰就掉。而且它畫幅也特別大，每張之間的畫意都是連貫的。難題一是如何加固礦物色，另外一個就是，我們不光要把它揭下來修復，修復完了還要給它復原回去，畫意還要嚴絲合縫，不能有一點的變化。實際上這些東西，我的師父也沒有很多的經驗。所以呢，我們等於是兩代人在一塊切磋研究，做了很多的實驗。而且國外專家的參與，讓我們也學到了很多國際上的修復理念。最後，我們以前的工作中沒有太多的分析測試，在倦勤齋通景畫修復中加大了這方面的比重。還有對畫幅周邊的建築構件的保護等，都是我們以前沒有接觸過的，所以我們這次有了一個「整體修復工程」的理念。再修別的大畫的時候，我們其實已經有很多的經驗。包括修《崇慶皇太后八旬萬壽圖》，就是從那兒鍛鍊出來的。

所以這修復有幾個代表意義，一是說這畫是一個整體的修復工程，不同於我們獨立的裱件的修復。另外它有代表性，從那次修復的工作當中，我們可以非常驕傲地說，我們接過了前輩的班。因為這個東西是他們也沒有碰到過的。

國際上文物修復理念有「最小干預」、「差異性修復」原則，和中國書畫裝裱的「修舊如舊」原則的衝突，表現在修通景畫時，我們跟美方的專家有過爭論。但是我們不光要有一種積極的態度，還需要有一種包容的態度。我們達成了一個共識：在頂部，我們可以全補得忽略一點，像西方一樣，可以有一個差異性修復、反差大的識別，因為觀眾離它比較遠，看得不是那麼清楚。而在牆面部分，觀眾面對面能看到的地方，我們就全補得細一點。在這之前，會做一個很詳細的紀錄，包括傷創的標註。雖然在牆壁這部分我全補得非常細，但是能找到哪兒是殘缺的，哪兒是後補的。

但我們的修復理念還是以「修舊如舊」為主。我跟他們說，永遠要把傳統理念作為一個最高的追求，把過去老師傅修圖的三面光、四面光[23]當作自己修補的一個追求。我老說這技藝為什麼能傳承，就是古人的智慧包含在你的每個操作手法、每個小細節裡面。

我一開始對那些來應聘的博士生、研究生希望也挺大的，但是現在我也降低標準了，我覺得懂事最好。真的是，別把無知當個性，別的都好辦。因為我們現在碰到的就是該遵守的制度，他們甚至有一些藐視。三年學徒制仍然適用於招來的本科生或研究生，而且我們招聘的孩子，不一定是學這個的，他來的時候就是一張白紙。所以我覺得懂事是更好的一個標準。還看你怎麼跟他們溝通。我也說幹活的時候不能看手機。有時候他們不知道，戴著耳機就幹活了。我說沒事，一開始都是這樣，以後千萬不能這樣。不能戴耳機聽音樂，會影響你，分神，比如說砑活很簡單的一個動作，但是你一分神哪一塊出毛病了，就前功盡棄了。幹我們這行有規矩，幹活得專心，不能有別的。

這就是一習慣問題，我老說最後的完美，是很長一個過程當中每個技藝的完美，一個綜合的體現，中間出現一點問題，後邊都會有影響。以前的那種學徒制，其實就是改人的習慣，把你最後改成一個適合做這個的人。

我覺得在故宮博物院有一個得天獨厚的條件，你可以看到這些東西。因為你在眼前看跟你在展廳看，那個感覺是完全不一樣的。另外我也有這種感覺，比如我碰到這些東西時會有一種穿越感，有觸摸的感覺。你會有一種想像，當年古人是怎麼來畫這個的。我這人有畫面感，看見什麼東西會有不同的畫面感，你會覺得挺不容易的，也會感慨，人生短暫、歷史悠長，這麼多年，這畫到我手裡頭，不容易。有種責任感。

我老說，其實我們這些人到外邊混不了。故宮跟個小世界一樣，外邊社會複雜得多。我們出去真混不了。為什麼我喜歡這個行業，我老說你跟文物，你的付出跟所得是

---

23 四面光，全色要求做到從上下左右四個方面看上去，都與原畫色澤光度一樣，看不出破綻，行話「四面光」。——（明）周嘉冑著《裝潢志》，中華書局，二〇一二年。

成正比的。我精心地修復這張畫，我好好幹，一定會在某個時刻，這個修復的東西會給你一個回報。它不像外面人跟人打交道，你付出的和你想得到的不一定是成正比。所以老說你對畫好，畫一定對你好，就是這樣。

師父老說文物這事不怕一萬就怕萬一，說不定哪兒出點錯，那個損失是無法彌補的，特別危險，古書裡說的如履薄冰。所以我開玩笑，我說我希望安安靜靜地退休，把這晚節得保住了。

肆

摹畫室

4-1 生命濃縮於方寸之間——臨摹師、摹章師

一九五四年六月，時任華東局副祕書長、黨校副校長的吳仲超被調任故宮博物院院長。這是後面一系列文物修復故事的開始。一九五三年故宮已從上海、蘇州、杭州等地調來張耀選、楊文斌、張興順、孫承枝等幾位南裱名家，一九五七年吳仲超院長又調入鄭竹友、金仲魚、金禹民等一批專門臨摹複製書畫的人才。一九六〇年，在原文物修整組的基礎上成立文物修復廠，有古銅、鐘錶、裱畫、摹畫、書法篆刻等十四個行當，同時在青年中選擇聰明穩重者，跟隨大師學藝。修復文物的同時，培養修復文物的傳人。

紙壽千年，絹壽八百，即使不算戰火輾轉，書畫卷軸也只能保存八百年。以臨摹的方式來保存原件自東晉已得到重視，興盛於唐宋[24]。歷代都有宮廷畫師對古畫進行臨摹複製，至宋徽宗時期，更組織皇家畫家大量臨摹前朝名跡，「訓督甚嚴」。傳世作品中，有相當一部分如東晉顧愷之的《洛神賦圖》、《列女圖》是依靠宋代的摹作才為後人所瞭解。書聖王羲之的《蘭亭序》，真跡早就成為歷史謎團，它的三種最佳唐代摹本都

收藏在故宮，也具有特別的文物價值。官辦臨摹明清仍有，民國時衰微。

同時，中國繪畫強調「神韻」、「寫意」，是作者「天人合一」的心靈表現，在造型上不像西方繪畫那樣講究寫實，而是散點透視，適度的變形與誇張，所以初學者無法以寫生進行訓練，而是透過臨摹前人作品掌握技巧，所以，臨摹也是學習中國繪畫的一個重要手段。

民國初期，上海地區集中了一批專以臨摹傳世名畫的書畫臨摹高手，成員主要有譚敬、湯安、金仲魚、鄭竹友等，他們製作古書畫時分工合作，或繪畫，或寫字，或摹刻印章，或裝裱作舊，所摹作品惟妙惟肖。與此同時，北京、天津畫壇也出現了一批繪畫高手，包括「湖社畫會」的陳林齋和著名女畫家馮忠蓮（陳少梅之妻），以及專門臨摹書法印章的金禹民。

解放後，故宮博物院成立摹畫室，有計畫、有步驟地進行古代書畫的臨摹複製工作。鄭竹友和金仲魚先生負責摹字摹畫，金禹民先生負責摹印，這個組合堪稱高手雲集。

一九五六年九月一日，高中畢業的劉玉到故宮報到。對這個家庭出身不好的京郊青年來說，能找到一份工作，已屬萬幸。他特地挑選學校開學的日子到單位報到，故宮於他，更像是一座新學校。一九六三年，劉玉拜金禹民為師，成為當

24 北京故宮博物院編《故宮博物院文物保護修復實錄》，紫禁城出版社，二〇〇七年。

時故宮書畫印章複製的唯一傳承人。解放後，摹畫室專門複製印章的只有金先生一人，後來近四十年的專業工作也只有劉玉一人。

一九六二年，榮寶齋的陳林齋和馮忠蓮奉榮寶齋之命到故宮臨摹《清明上河圖》。根據當時規定，故宮文物不能出宮，兩人只能隔著玻璃仔細用放大鏡看這幅頂級文物，然後貼著照相師傅所拍的黑白照片構圖，再對照原件和照片，一點一點地臨摹複製。馮忠蓮長子陳長龍曾到故宮探望母親，「西冷宮」一片寂寂，母親獨自描摹，完全是「古卷青燈」景象。古畫臨摹實際上是一次再創作的過程，不僅要潛心研究每一起筆、落筆，掌握其運筆、用色風格，更要體現出原作韻味。

他們臨摹了四年多時間，尚未摹完，一九六六年文革爆發，故宮閉館，《清明上河圖》的臨摹工作不得不中斷。

一九六九年，包括吳仲超院長在內，故宮的全部職工被下放到湖北咸寧幹校圍湖造田。鄭竹友、金仲魚、劉玉等文物修復人員，戴著破草帽、披著黑塑膠布或蓑衣，光著腳冒雨在陰雨連天的南方稻田裡勞動。那時為了實現對靈魂的改造，「連犁地都是用人不用牲口」。同一個幹校中，晃動著作家沈從文、文物專家王世襄的身影。

這一勞動過程和文革，讓修復廠損失慘重。鄭竹友的夫人在幹校勞動期間去世，鄭竹友不久後也與世長辭。這個二十多歲就以仿造和辨偽古畫成名、曾令張大千驚訝的一代名家再也未能回到故宮。青銅器組組長古德旺倒是回到了故宮，但由於壞了手，只能在神武門看大門。同樣被分去站崗的還有六十多歲的金仲魚先生。治印大家金禹民先生被放到美工組撰寫路線說明，直至退休也沒能回到摹畫室。從幹校回到故宮的劉玉，在站崗、給銅器室打鉗子的同時並未放棄治印，周日會去師父金禹民先生家討教。雖然此時，摹畫室工作尚在停滯。

故宮在一九七二年重新對外開放，出於「備戰」考慮，收藏起原件，陳列複製品。被下放勞動的職工，逐漸被召回北京。摹畫室的幾名同志重新聚在一起，吳院長又把從幹校借調來的原榮寶齋的馮忠蓮和陳林齋先生正式調入故宮。

一九七六年，故宮博物院再次啟動《清明上河圖》臨摹，此時的馮忠蓮已年屆花甲，眼力和臂力都有所不濟，並患有高血壓和由此引起的眼底血管硬化。中斷十年，以前臨摹的部分絹素、色彩都發生了變化，畫面的銜接出現問題。馮忠蓮憑著她高超的技藝和豐富的經驗，使摹件前後一致，絲毫看不出間斷已久、重新銜接的痕跡。

一九八〇年，《清明上河圖》臨摹終於完成。臨摹是用臨摹師的生命交換真跡的再次呈現。臨摹一幅畫，動輒以年論，臨摹者的一段段生命濃縮在方寸之間，「一個臨摹師，一輩子臨不了幾張很成功的作品。」一九六二年到一九八〇年，馮忠蓮技藝與生命的巔峰都用來臨摹一幅畫，從數量上看少得可憐，然而考慮到她臨摹的這樣一幅八百多年歷史、歷經幾度政權傾覆、數次戰火的國寶真跡，一流摹畫師生命的品質又輝煌得驚人。

馮忠蓮跨越十八年摹《清明上河圖》，成為一個傳奇。但《清明上河圖》上的一百多個印章都由劉玉複製鈐印則鮮有人知。這時，他的治印、鈐印水準已至巔峰，被徐邦達、劉九庵等學者譽為「形神俱似」。摹畫畫工已經是名畫背後的無名複製者，而摹畫室的摹章者則是無名中的無名，不為人知是他們的常態。劉玉對他的徒弟沈偉反覆叮囑要「守規矩」，規矩的第一條就是要守住寂寞。

一九七九年，結束了十年文革後的故宮開始整頓修繕，招兵買馬。郭文林通過考試入職，同批有二十多人，除了三個學照相，兩個刻圖章，剩下全部分配摹畫室，師承馮忠蓮、陳林齋、金仲魚三位老先生進行古書畫的臨摹。上世紀八十年代是故宮古書畫臨摹的輝煌時期，全科技部摹畫組人最多，二十一個人，邁入四十歲的這批主力也在人生的巔峰，常常畫到下班還意猶未盡。那是摹畫組業務最繁忙之時，他們能看到大量一級乙、二級甲的文物真跡。「過去我們都臨不過來。」其中，《清明上河圖》、《韓熙載夜宴圖》、《聽琴圖》等臨摹品廣受好評，曾赴香港等地多次展出。而憑著幾張模糊不清的黑白照片就高水準地仿製出太和殿等三大殿的匾聯，也為他們贏得同行讚譽。

電腦噴繪技術出現之後，因其快捷方便，漸

《乾隆慧賢皇貴妃朝服像》義大利籍畫家郎世寧作

漸有取代人工臨摹複製之勢，摹畫組如今只有四人。新來的人，郭文林的徒弟巨建偉已經很長時間沒有看到新的真跡了。郭文林無奈地說，現在好像很長時間都沒有可臨的東西了。

郭文林認為手工臨摹跟機械複製的東西不同，手工有它獨特的價值。電腦噴繪噴不出青山綠水的厚度，噴不出勾金描銀的金屬感，也不曾有臨摹師的生命厚度凝固其中，「臨摹有人的感情在裡頭，它是有生命的東西。」面對機械複製時代，一門曾經輝煌的傳統手工技藝的逐漸式微，郭文林感慨萬千。

摹畫室在西三所最後一進院子，院門口靠牆種了一溜玉米，這是摹章組沈偉師傅所種。西三所有三隻據說是御貓後代的流浪貓，定時過來吃飯，想逗貓也往這個院裡找，因為沈偉是首席餵貓員。它們通常都偎依在冬暖夏涼的地方，休憩的放鬆而肆意，露出一副「這裡我才是主人」的霸氣。院裡還有沈偉種的黃瓜、番茄和茄子。夏天的時候，番茄開始爬架子，黃瓜開著黃花。「守得住寂寞」的摹章傳人，把他對生命的感受變成了種子、秧苗、果實。

小院右手是摹畫室，和銅器組的光線明亮、人多物多不同，摹畫室很靜，陳設簡潔整齊。巨建偉的桌上繃著一幅清代宮廷畫師丁觀鵬的《羅漢圖》。我們來時，他正坐在桌前垂頭對畫，彷彿入定。這種簡潔，這種靜定氣氛讓這裡像一個寺院，有「青燈古佛」的靜穆。

有的工作磨損人，有的工作養人，在故宮裡

臨摹古書畫是後者。磨墨、勾線，清華美院畢業、作為準畫家培養，巨建偉進故宮摹畫室後開始重新練習勾線。用很長時間做一件簡單的事，在此過程中，深入中國畫的本質，對勾線的微妙之處掌握得越來越深，從墨的水分、摩擦力、墨的顆粒的粗細、在什麼樣的紙上能產生什麼樣的效果，最終他重新回到最簡單的一根線，在一根線上看出一個人，「哪怕是一條線，也是有精神性，有氣質的。」摹畫，是進入原作者的狀態，與原作的精神狀況相溝通。

沉浸於此，超然物外，每天都有成長感，餘事皆是打擾。單薄脆弱的先人書畫，為他營造了一個堅固的精神世界，可以抵抗紅牆外藝術市場的喧囂、同輩人的名利雙收。同樣，面對電腦噴繪技術對臨摹的衝擊，是否會感慨自己進入了一個冷門的行業？生於一九八七年，來故宮五年，故宮古書畫臨摹的第三代傳人巨建偉淡淡地說，所謂熱門冷門還是跟利益有關，利益是暫時的，但傳承是恆久的。重要的是掌握古法，擔起傳承的責任，「就像古人講的，朝聞道夕死可矣。」

摹畫室每天第一件事情是磨墨，他們不用現成的墨汁，研出來的墨穩定性強，裝裱時不會跑墨。每天畫完後要洗硯，當天的墨當天用，過了夜是宿墨。宿墨的膠體揮發，剩下炭化的顆粒，穩定性差。「中國畫要創造繪畫過程，從頭到尾這個工序都很講究，它是修心的過程。磨墨是畫畫第一步，它不僅僅是製作墨汁的過程，它是人從生活狀態進入創作狀態的過程，磨墨就是在靜心。」

一遍遍地研磨，既不能用力過猛，也不能太輕，如果你目睹他們的工作狀態，會發現那種禪宗寺院的感覺從何而來，屋中並沒有佛像，但他們有自己的信仰。

4-2

個性都收起來，完全按古畫走

郭文林

我是一九七九年進故宮的，到現在已經三十多年了。

摹畫室成立於一九六〇年，當時只有三位老先生，就是馮忠蓮、金仲魚、陳林齋，帶了兩個徒弟。原來還有一個大徒弟劉炳森，那時候他已經成為書法家，不畫了。

我是中學時遇文化大革命，混到六九年算中學畢業，就上山下鄉了。我十六歲去黑龍江，在建設兵團待了八年。我從小喜歡畫，一直畫畫，但是沒正式拜過師。後來到農村了，你不能這一輩子老跟那待著，得琢磨琢磨。那會兒探親，每次我都春天回來，跟一位高老師學畫畫。所以七九年通過考試進了故宮。要沒有這個底子也不行。

剛進來是馮先生帶我們。她挺樂觀，一位慈祥的老奶奶似的。陳先生也是特別和藹

可親的一個老頭，他有點兒駝背，說話慢條斯理，特別慢，幹什麼事都特別認真，尤其在染色方面。我們染色有時候著急，染個三、兩遍就成，他能染七、八遍、十幾遍。這樣有一個好處就是染出來顏色又薄又顯得飽滿厚重，行話叫薄中見厚。薄著染有什麼好處？要是把顏色直接混合了有時候容易顯髒，不透明。而且你混合出來的這個顏色就是這個顏色，變化少。單色一點點染，讓它在絹面上混合，變化多，出來的那個顏色，跟你兩、三遍染出來的感覺絕對不一樣。但是顏色一定要弄得特別乾淨。陳先生桌上的小碟子、小碗洗得乾淨極了，像我們有時候用剩的顏色捨不得扔，下次再接著用。在過去，剩下的顏色老先生都不要，就一定要重新兌，不怕麻煩。而且對製顏色特別有講究，每次都拿小碟子研得很細。一個石綠石青他能漂出好多不同的成色，最後剩的幾乎沒有色了，但是還有一層白白的我們管它叫霜，那東西都不扔，包起來，有時古畫需要包漿或者是那種有一層霜的感覺，只有用這種顏色才能染出效果。

金先生給人的印象就是一位學者，戴著一副金絲眼鏡，白頭髮，梳著背頭，拄著一個拐棍，一看就是一位老學者，也挺和氣的。但是他要求特別嚴格，你畫得不像的就退掉重畫。他跟當時領導要求的不一樣，當時是八〇年代初改革開放，故宮成立一個外賓服務部，畫些館藏的複製品賣給外賓，創造收入用的。所以領導就是要求快點兒，趕緊畫，別耽誤那麼長時間。金先生不行，金先生就是什麼時候畫得像什麼時候算，畫得不對不像就推倒重來。

金先生非常有威嚴，他一出現摹畫室就很安靜，就是因為他要求特別嚴格。不像那兩位老先生和藹可親，他性格不一樣。我來的時候是主要在摹畫室，由馮先生和陳先生帶，還有五、六個人在東邊。我們當時分所謂東廠西廠，外賓服務部屬於東廠，由金先生在那邊領著幹。

對我影響比較大的，就是馮先生。剛進來這一、兩年，　張白紙似的，從不太會做一直到能夠獨立工作，就這幾年。剛來時馮老師說，你別上來蒙頭就畫，你得先讀讀那畫，先看幾天，就天天看。看的時候，心裡想著點，這張畫，他是怎麼畫的，我要想臨摹，我怎麼畫，我先畫哪兒，後畫哪兒。有的時候，你還可以畫一個小的局部，臨一下看一看。教我們多讀多看，不要上來就盲目動手。

我們一來，馮先生就說你們以前都搞創作，需要把創作都停掉。因為搞創作要突出個性，現在，要把所有的個性都收起來，完全按古畫走。人家畫成什麼樣你畫什麼樣，

甚至於，他這是一筆敗筆你也得跟著走敗筆，不能把自己的東西替代到裡面。後來我們慢慢有點兒理解是為什麼。摹畫室從一九六〇年成立，除了三位老先生，斷斷續續來過不少人，而且都是畫畫非常有名的，比如說近現代工筆大師于非闇的姑娘也在這兒幹過。這些大畫家的個性太強，畫著畫著不自覺地就把自己的東西帶進來了，畫完是他自己的創作，不是原件。不是所有的畫家都適合來做臨摹。所以就出了這個不成文的規定，我們就把創作都停了。

剛開始給我們一個人發一張畫，先練習一下勾線、染色，老師再具體講。因為進來的都是稍微有一點底子，畫了那麼一段時間，馬上就進入正式臨摹了。我第一次臨摹的是一個宋代的冊頁，一棵芭蕉樹下面一個婦女領著幾個小孩做遊戲，在打一種球，有點像現在的棒球。宋代咱們就有這種運動了。

練習期我估計也就一年，但是獨立臨摹以後，每天都得練線。我們有工作日記，記你每天畫什麼畫，畫多少小時。我每天都有

《韓熙載夜宴圖》

一個小時練線。堅持了近十年。天天都得練。古畫留下來的都是精品，功力差，就表現不出來別人要表達的。金先生有一句話說，你畫得再不像也沒關係，但是你一定要讓任何人看了，都知道這是有功夫的人畫出來的。不像沒關係，經驗積累以後就可以畫得很像；但是畫得像了，功夫你要掌握不住，讓人一眼就看出來，那就不行。

這三位老先生已經畫一輩子了，功力應該非常好了，他們畫重要的線條，比如說畫到《韓熙載夜宴圖》裡邊的幾根琴弦，就四根琴弦，他都要再練兩個小時才敢勾這條線。畫了一輩子，這時候還要把手活動開，就像運動員一樣，把手弄到最好的狀態。我們往往是畫到快下班的時候，那個感覺才出來了。那時候怎麼畫都行，手聽使喚。

剛工作那幾年，大夥的心氣都特別高，都願意畫，畫得也不累，一天坐這兒特別願意畫。有時候，越到下班的時候，手活動開了、順了，越不想停。但是這兒有一個特點，時間到就得走，不像有的單位可以加個班。

你每天能夠對著這原作、真跡，我就覺得是特別幸福的一件事兒。每天看著有新的感受。這古畫是剛開始不理解，時間長了理解了，你看到的東西越來越多。經過多年的積累，經驗越多，藝術體會越多，老覺得畫不完，老是覺得這兒差一點那兒差一點。比如一個顏色，你看著是一個顏色，感覺就是一片紅。但它不是這樣的，它有些地方的顏色稍微偏點藍，有的偏點紅。古人畫的時候，它有塑造群體的那種質感在裡頭。

我們七九年來的，到八一年、八二年，臨摹品就已經成熟了，後來到香港辦了兩次展覽，跟著原件對照的，有一部分就賣了。我記得最貴的是劉炳森臨摹的陳老蓮的《荷花鴛鴦》，賣了二十萬港幣。原來劉炳森是搞摹畫的，因為文革老寫大字報，慢慢變成寫字的。後來還有點遺憾，說本身是個畫畫的，怎麼變成寫字的。後期他也創作山水畫。

後來我們新招的這些人，就由金仲魚先生帶到東廠，專門給外賓服務部畫複製品，一直到八八年。那時候開放了，有許多外賓到來，尤其是日本人對中國文化特別喜歡，到處都有中國畫賣，頤和園、恭王府，哪兒都有。他們（畫的）就是二、三版的了，因為我們是直接對著原件畫，他那都是再對著印刷品或者找個資料弄出來的，那走形差別就大了。

當年美國大都會博物館還特意給我們上了一次課，就講他們博物館利用館藏文物怎麼創造收入。他們博物館不像咱們全民撥款，人家一個是靠這個生活，還有一個靠捐助。咱們那時候改革開放，也想學一下這個。給外賓畫這些商品畫，當然也是臨摹，它挑的東西就是鮮豔點，比較合乎外國人審美觀的，比如說七夕圖、中國神話故事。要求也比代替原件展覽的複製品要寬鬆一些，不要求特別像、做得那麼舊。你看咱們故宮院規上，關於我們複製的要求，就比原作顏色淺一色。就是有意識給它區分一下，比它新一點。臨摹我們都是看真跡，在外賓服務部臨摹也是看真跡。

一九八八年以後，東廠、西廠合併，就是現在的文保科技部。過去咱們博物館系統走的是蘇俄模式，就是保管部、展覽部、研究部、還有群工部什麼的，這麼分部門有什麼不好呢？拿書畫來講，研究書畫這個人，他不保管，保管的人不研究書畫。但是研究書畫你必須得看原件，他倆人不結合，你就沒法研究，產生很多不便利。改革開放以後，故宮改革，走歐美制式，變成按文物的分類，書畫部、器物部、宮廷部，根據他們保管

馮忠蓮跨越十八年來臨摹的《清明上河圖》（局部）

的東西分類，保管人員也是研究人員。書畫部老辦展覽，哪個畫需要辦展覽，哪一塊損壞得大，他都知道。經常去展覽，這張畫就需要保護，然後他就給我，我們來臨摹。

臨摹室最重要的作品是《清明上河圖》，馮先生臨摹。我來的時候她已經臨摹完了，但是還在裝裱、後期照相。聽她講過一次，就說比較嚴格，畫那個畫呢，每天從庫裡把畫領出來畫，晚上再交回去。中間隔了一個文化大革命，真正算下來也就四、五年吧，但是前後跨了十幾年。因為文化大革命他們就都下放到幹校去了，從幹校回來又接著臨。中間隔了這麼長時間，前面畫的顏色已經舊了，後面畫的得追前面的程度。所以說，我們染底色，這種大長絹，四、五米長的一定要一次染成，中間隔了顏色特別不好兌，很容易接不到一塊，永遠老差一點。同樣一鍋顏色，比如今天染完了擱一天，第二天再染顏色都不一樣。調底色有時候一天都調不出來。

馮先生臨摹的這張《清明上河圖》，已經是我們故宮第二文物了。一級文物在五、六〇年代他們已經摹得差不多了。等我們進院以後，也還有一級，但就不是一級甲了，我們就臨一級乙，或者是二級甲。

臨摹《清明上河圖》這件事，馮先生其實沒怎麼跟我們講過，劉炳森說過。劉炳森給我印象最深的，是他有一次臨一張山水畫，城樓上出來一朵雲，雲上站了一個特別小的仙人。點那個小人的眼睛的時候，他就犯了難了。他說我點了好幾次我都不敢點。因為稍微點偏一點這個人的眼神就不對。然後金先生跟他說，如果你把這個人的眼神點好了，你就算出徒了，以後就可以正式地臨摹。最後終於點完了，金先生看了還挺滿意。當時劉炳森比我大十幾歲，馮先生為了給我們提高業務，經常讓劉炳森來給我們講課，講書法，講畫，講他的體會。這方面印象挺深。

陳林齋先生沒有過多地指導我們，就是他染色時在旁邊看，看他怎麼染。也不好打攪老先生，不敢隨便叫老先生過來，人家畫的時候你在旁邊看一看，就行了。本來後來我們跟領導也說過這事，想給這三位老先生每個人弄個錄音筆，把他對顏色的感覺什麼的都留成資料，寫一本書，結果就是三岔兩岔，馮先生寫了，金先生和陳先生還沒寫就相繼去世了。

我看過陳先生畫的一幅元代的花竹錦雞，我看他摹，那個小竹綠染好多遍，要是我就著急了，兩、三遍就完了。但是陳先生就在那兒耐心地那麼染，要我看那幾乎就沒有顏色，那麼淺，染完一遍感覺沒什麼變化。但他就這麼細心地一直染，這樣積累出的顏色，有厚重質感，不跳，咱們弄兩、三遍那個綠特別跳。這些東西說不出來。剛開始我們畫不下去，總覺得跟人家差點兒，就是看不出來，人家老師傅一看，就知道哪再弄點兒就行了。中國畫不講究立體感焦點透視，它是散點透視，寫意。一定要似像非像，要是畫得一模一樣，那叫狀物。中國畫不分幾品嗎，狀物是最低的一品，最高的叫逸品，或者叫神品。中間的叫妙品。妙品就是說能夠又狀物又可以表達一定的神韻，真到神品的時候就是神氣太棒了。中國人比較推崇逸。

金先生的閨女金小燕畫一張魚藻圖，她畫了八年。領導老催她，抗戰八年都勝利了。後來她畫完感覺就是不一樣，特別好。時間長有時間長的好。當然畫畫也有手快手慢。金先生就是手特別快，陳先生說自己特別佩服，金先生摹什麼畫兩個禮拜就摹出來了，「哎呦這麼快，我一看摹得還真好。」所以陳先生挺佩服金先生，從南方來的嘛，又快又好。

張旭光的姥爺在南方，說有個畫家看完一眼回家就可以畫出來，他姥爺重要的畫，聽說這個人來了就趕緊收起來，不能讓他看，他看完了就等於給你盜走似的，回家就畫出來了。徐邦達也說過，看完了畫，回家在腦子裡過電影，然後第二天再來看，再記，反覆地這麼記，就練出來一眼可以把畫的好多內容資訊都記住。反過來因為我們天天可以見著原件，天天看就不記了。畫到哪兒看哪兒。

臨摹的程序：畫來了以後，先拍照。再用透明膠板襯在照片上，目的是濾掉顏色，把整個線條、位置用筆勾出來。有時像墨骨畫或者重要的染色的位置，也要用這個膠板勾出來，方便後面程序；我們臨摹絹本比較多，勾完膠板後，將熟絹放到膠板上，照著下面的稿子描，這個工序叫落墨。落墨時墨的深淺要參照原件，你自己還要有一個預判，將來上完顏色不能完全壓住墨線，還要露出一點來，這些都是靠經驗；落墨之後，照原件染色，染色過程中要一邊做舊一邊染色。全畫完後對照原件做一次整體的整理。有時候近處臨摹看不出來，站遠處看哪兒顏色差點再補救一下，整個調整一下。最後有字的要摹字，再去鑲，鑲好之後蓋章，最後裝裱。

臨摹根據原件新舊程度，有不同的做舊方法。是染舊，我們不能咬舊。咬就是腐蝕，銅器他們叫悶舊。我們這個一般都是染，根據原件狀態，特別深的顏色，你就得想辦法，有時不能用顏色染。比如說我們複製過長沙馬王堆的帛畫，顏色染到那個深度就太悶了，我們改用染料把絹染成那個顏色。要根據不同質地、新舊程度用不同的方法，有的特別新，那麼我用點淡茶水染染就可以了。紅茶水都是過去做舊的招數，不高級的，畫完畫，就拿排筆刷子蘸上濃濃的紅茶水，一染就舊了。我們是上來不刷那麼舊，先刷百分之七十，畫的過程當中一邊畫一邊做舊，這樣顏色和底子的舊色融合更好一點，讓顏色不跳，但有的時候特別鮮豔的還要保持那種亮。

每一步都重要。我聽小亘講，在膠板上勾線的感覺和你在紙上、絹上勾完全不一樣。這膠板就是塑膠薄膜，聚酯乙烯，它滑，筆在上面功夫稍微不行，筆尖就跑了，不像紙或者絹摩擦力大，拉得住筆，力量使得上。膠板這東西使不上勁，跟你在冰上一樣亂滑，有時候勾斜線還要轉著點兒筆才可以勾出來。但如果在這上面勾得很好，在紙上和絹上就更好掌握了。

臨摹的工時，都是根據畫的內容。畫畫，不太好估，有的時候覺得挺好畫的，實際上畫起來挺難。有的覺得特別複雜的，其實挺好畫。金老師就說，小寫意的東西完全靠功夫。你那一筆下去，要是不像，它就是不像，你沒有修改餘地。工筆呢，比如線勾得不好，你可以洗掉，或者重新勾一下。小寫意的東西，其實一個工時就能畫出來，你給他一百個工時，它不像還是不像。

臨摹只能臨摹到小寫意，大寫意和草書沒法摹，怎麼解釋呢？大寫意是在生紙上面，生紙的墨色的暈染擴散都是隨機的，就算畫家本人也畫不出一模一樣的兩張畫。小寫意和工筆是在半生熟或者是熟紙上，熟紙上可以反覆地去染、摹線，生紙就一次。在半生熟或者熟宣上畫不出來隨機的效果，沒有自然的那種暈染，那非常難。為什麼現在畫寫意畫的人多，畫工筆的少？寫意畫練一練，有的時候就真能不錯，工筆不行，工筆沒有三、五年的工夫畫不出來東西，所以現在工筆越來越沒有人畫了。都和經濟有關係。

小巨來了快四年了吧。畢竟人家是科班出身，比較全面。上學時間肯定是山水、花鳥、人物都得學，然後再自己主攻一門。但是反過來，作為畫家來講，不搞創作，就臨摹，這轉型比較大，對他們衝擊更大。再來他們還有很多同學，同學在外邊搞創作相當紅火。你在這兒一輩子默默無聞地就幹這個，這誘惑非常大。能坐下來，能待得住的真的不容易。

（右起）郭文林和他的徒弟巨建偉

臨摹既要有藝術家的眼光，也需要工匠的嚴謹和無我。沒有藝術的眼光體會不到古人的藝術立意。摹畫不僅形象要準確，還有一個是神，神這個東西是太難找了，虛無縹渺的，需要有藝術家的氣質才能體會。以前我們也跟領導探討，領導認為你畫這麼多年有功夫了，一定是越畫越快，我覺得反而是越畫越慢，因為你眼裡有東西了。初學的時候畫到一定程度畫不下去，覺得我畫完了，但是懂的人一看，這兒還需要一點，那還需要一點，就是微妙的差別，這個外行人看不出來。

馮先生、金先生退休後都搞創作，作品很出色，所以說，臨摹肯定對藝術家有滋養。為什麼所有的畫家都願意臨摹古畫、學習古人的東西？看人家怎麼運筆，怎麼表現，反過來對搞創作肯定有幫助，所以一般畫畫的都願意來這兒臨一下，但是讓他一輩子臨就難了，老幹這個不去搞創作，有些人受不了。能留下來的要麼是找到了平衡，或者說他們犧牲了一些，像馮先生、陳先生他們都是當年「湖社」成員，如果搞創作，應該早都出名了。

小巨沉得下來，他跟我說過他就喜歡畫，而且對古人的畫比較有興趣。他說他要不畫畫，手閒得難受。首先有一個愛好，然後你就能鑽進去，你就能往裡頭走，就能深入慢慢地學。唯一可惜的就是現在臨摹畫比較少。過去我們都臨不過來，現在好像很長時間都沒有可臨的東西了。

故宮最好的條件，就是可以看到原件。宮中收藏是精品中的精品，能夠學不少東西。原件和印刷品，那真是倆感覺。印刷品再像，跟真正面對原件的感覺是不一樣的。甚至隔著玻璃看，和打開玻璃看，還是有差距。等打開掛起來，一看還有，還得找。越找到最後，越難弄，很微妙的一點變化都得看出來。

咱們現在好多東西，跟古人的比不了。我們不用墨汁，墨汁畫完一裝裱就跑墨，墨湮散了固定不住，所以必須每天自己研墨。現在的墨不如以前，過去的字側著光看有點兒呈五顏六色的發青的黑，咱們這個墨是烏的，黑度不夠。庫裡有些老墨底子，弄不好是明代的，特別好使。膠特別少，一研特別下墨，不像現在的墨研半天都不見短。老墨我就用過那麼一點，後來就算文物了，不讓動了；還有比如說紙和絹，它那製法不一樣，現在都是機器織，過去都是手工絹，它不一樣。手工絹的絹絲，它有粗有細；現在機器織的，絹特別勻，就失去了古絹的味道。還有紙也是，我們去問，紙廠說確實是不行。過去造紙的樹皮，都是三年以上的我們才用，現在當年的樹皮都給扒下來了，做紙的人太多了。原材料都不一樣。這些就是傳統。絹不像，紙也不像，有時候那味道就出不來。

小巨手裡有一張丁觀鵬的羅漢像。我希望他把這個羅漢像從頭到尾臨一下，然後我看一下它什麼樣。如果差不多，就像當年金先生放手劉炳森似的，基本也就放心了。羅漢像一共是十七張，一共十六羅漢加一個佛，我退休之前就開始臨，前後臨了快四、五年。畫錯了，絹還可以改，可以洗一洗，改過來重新弄。紙本的不好弄，所以就不能錯，一點錯都不能出。我們已經臨了十三張了，還有四張畫沒臨。所以這四張畫我一直提，我說讓他們趕緊給提出來，整個弄成一套多好。就是到現在也沒提出來，也不知道是卡在哪兒了。

我倒是沒有像老師傅那麼反對創作，我覺得搞創作也行。只要你能夠臨摹的時候不把自己的東西帶進去，只要你能把握住就可以。你搞創作，也是一個藝術創作的活動，也在練手，也在練眼。就看自己怎麼把握住，進得去也出得來，這是高手。

紙壽千年，絹壽八百。這絹只能保存八百年，超過了它就脆了，就往下掉，你摹一張新畫，等於延續八百年。

中國繪畫史上有過幾次，官辦大批量地做臨摹，最好的就是宋朝。宋徽宗本身就是一個大畫家，對書畫特別重視，他專門有畫院，那時候叫官樣，就是專門畫畫的。很多珍品就一件，當時沒有印刷品，又沒有照相，怎麼讓大夥都知道呢，就臨摹，送給大臣，這是官摹。好像明代也有，清代也有，當然最昌盛是宋。其實我們看到的很多名畫都是宋代摹本，比如說《清明上河圖》、《韓熙載夜宴圖》，而唐代張萱的《搗練圖》、《虢國夫人遊春圖》現在看到的都是宋徽宗摹的。咱們故宮也等於官辦的，解放以後官辦的專門臨摹書畫的，但是咱們跟造假畫不一樣，造假畫，畫出來跟原作像，但他是騙人的。我們這個都是複製品，就是咱們要表明自己是複製品。複製品，有個名字叫「下真跡一等」，比真跡差一點。故宮文物有兩個系列，故宮原存的，叫故字號；新收進來的，叫新字號。還有專門一個複字號，就是我們的複製品。

一九七九年修復廠招進來二十一個人，摹畫室留了十五、六個。八〇年代時摹畫室很輝煌，最好的時候是科技部成立，一九八八年，全科技部我們組人最多，二十一個。而且都是四、五十歲，最好的時候。因為再早你的功力不行，四、五十歲功力也好了，精力也行了，各方面都最好的時候。現在摹畫室有四個人，巨建偉、陳露、小廖還有一個張蕊，我是退休返聘，不能算正式的。

臨摹只能臨工筆畫，或者是小寫意。大寫意比如說水墨畫，都改成電腦噴繪。現在電腦噴繪不光弄水墨畫，他們連工筆畫也弄。領導覺得，這個東西又快又好，就不是特別重視我們手工的。我感覺手工臨摹，跟機械複製的東西還是不一樣，手工還是應該有它的價值。

現代化的東西，再怎麼好，它跟手工繪畫還是完全兩碼事。就說電腦噴繪吧，電腦噴繪是噴的油墨，它沒有那個質感。比如說青綠山水，它有一定的厚度，它的厚度你弄不出來。還有金屬顏色，勾金描銀，它也弄不出來。

中國畫它有這麼一個特點，它不像西洋畫講究寫實，西洋畫越像越好，中國畫不要求你像，中國人就認為，畫意在似與非似之間，你要畫太真實了反而沒意思，它就要有一定的誇張，有一定的取捨，有一定的變化。但是這個東西呢，你不可能自己單獨去寫生，要靠師傅。中國人就是這樣，尤其從書法上，入門的話就是臨摹，靠臨摹來學習這些技法，學出來之後，再把自己的東西加上去，變成大家。中國這個書畫臨摹，有上千年的歷史。

故宮所有留下來這些所謂國家一級文物，哪件都不是當年的原跡，都是當年的臨摹品。現在《蘭亭序》八個版本，都是當年的臨摹品，原件據說被唐玄宗帶到墓裡去了。我們現在臨摹的東西，幾百年以後，上千年以後，它也是一定的文物，你得用發展的眼光去看。印刷是一個機械性的生產，不是手上的創作。臨摹，雖然號稱應該跟原件一模一樣，但實際等於再創作，它還是有人的感情在裡頭，是有生命的東西。所以說我一直想寫一篇文章，比如說照相出來以後，它為什麼擠不垮繪畫。照相和繪畫的關係是什麼？那照相多快，一按快門一個東西馬上出來了，又準，光線什麼都有。它跟繪畫是什麼區別？現在電腦噴繪跟那道理一樣。千篇一律的東西，機械性生產，它不具保留價值。原來老院長說，紙壽千年，絹壽八百，流傳到現在的宋代畫，也上千年了，我們現在接力再給畫一個，等於又給它延長了一個一千年的壽命。這就是一個功在千秋的事。所以說還是應該把這個東西提到一個高度上去認識，不能說有了電腦，這個東西就可以慢慢地荒廢了。這東西要是廢了，再恢復就難了。

改革開放後文物保護領域引入「最小干預」原則，給傳統的書畫修復手段和理念帶來不小的衝擊。傳統的中國書畫修復，在書畫的破損處「隱補」修復後，需要對修補的地方進行全色接筆。「最小干預」原則卻不提倡進行全色接筆，而是主張：「隱補」修復後，第一，不再進行全色（即使要全色，也不能與原件同色，要比原件的顏色淺，使人能明顯地看出人為修補的痕跡，用來區別人為修補的地方）；第二，不進行畫意缺失部分的接筆。我覺得應該說明在什麼前提下最小干預，不動手不就是最小干預嗎？那哪兒成。在修復的情況下，我不能給它修過了，畫蛇添足。修完讓你看不出來，你覺得這個藝術是完整的，那就是對的。中國傳統的審美觀認為，畫面顏色統一、內容完整才稱得上保持原貌。全色接筆不弄，時間長了，你再想恢復，這個傳統的技法就沒有了。

現在各個組還是有自己選擇的餘地，但是比較混亂，我覺得應該把這個定下來。還是根據每個組不同的文物，比如書畫，這絕對是中國最有特色的東西，是畫在紙或絹上面的，跟油畫不一樣。就算油畫，國外的我也問過很多，接筆不接筆，他們也有爭議，有的不接，有的接，他們油畫能接我們為什麼不能接？

外國人不弄，不是說尊重原件，而是弄不好，弄完了以後讓人能看出來。真正咱們好的、傳統的東西，接筆你真的看不出來。我們有一幅畫，叫吳偉（吳小仙）的一幅山水，那個畫後來我們仔細看，絹就剩百分之三十左右了，剩下都是接筆全色全出來的。

但是古人接得相當好。新絹的顏色和原色一樣，畫意都全了。側著光仔細看，接的絹和原來的絹絲不一樣，畢竟不同時代的織法不同。為什麼徐邦達先生號稱徐半尺，剛打開半尺，畫意還沒看到就說是假畫，為什麼？就是看材料，你說是宋畫，卻是明代的紙，不用看內容肯定是假的。現在外國人就講，你們這個不是人家原來的東西，是創造性修復。可是不修復完整不符合傳統審美啊，一幅畫百分之三十的畫意，剩下全是空白，這畫和沒修一樣。中國文物有中國文物的特點。中國人就講究完美，對吧？不能說最小干預就不干預了。該修的時候不修，那張畫已經糟成那樣了，再不弄連百分之三十都保存不住了。

這種技術，傳統上要求四面光，就是從哪個方向你都看不出來假，不是一般人能練出來的，得刻苦練才能練出來。如果現在都不接，那太方便了。你不接，將來你想再恢復，這技術就沒有了。如果一代一代老這麼傳，那不就越傳越少了。

即使不發揚光大，你得讓它傳承下去。

我自己摹過的比較滿意的是一副「三希堂」的對聯。當時摹對聯的那個人走了，所以大點兒的字都我摹。現在三大殿的匾全是我弄的，「建極綏猷」、「皇建有極」，八國聯軍打進北京時還有那個匾，後來找不著了。領導說要恢復，我們根據一張照片摹的。

自己花時間最長的就是展子虔的《遊春圖》。印象裡，臨了有兩、三張吧，畫一張得一年多。但是不可能全都滿意。每張也有點遺憾。原來都是金先生給我們擋著，領導催就金先生說去，得保證品質，金先生不在了沒人管了。

像馮老師，她畫這《清明上河圖》，前後畫了將近十年。臨摹不是張張都好。肯定有一張畫裡邊，某一部分很精彩，有一部分沒臨好，自己心裡知道。所以這一輩子臨不出來幾張好的。就像剛才您問我，臨過什麼特別好的，真是想不起來。名畫當然臨過，但我自己特別滿意的很少。

但後來慢慢也就安心，這可學的東西太多了，就踏踏實實跟古人學吧。我們臨摹艾啟蒙《十駿犬》是一九九〇年左右，那時候我們這批人都四十多，也有十幾年的經驗了，新成立的科技部，大夥兒心氣高，摹出來效果也特別好。老師傅在前面也做出榜樣來了，人家都臨一輩子，馮老師他們退休以後也搞創作，畫得相當漂亮。陳先生畫嬰兒，嬰戲圖，迄今為止，我沒有發現任何一個畫家染色能超過陳先生的。特漂亮，又乾淨又潤，太棒了。所以就踏踏實實跟著學吧，也就是這樣，最後退休，又自己帶學生，就是這樣。

也有人找我畫一幅齊白石，我沒做。避諱這個。做假總有人看出來的，一查誰弄的，這不是丟臉嗎？做假那些人壓力挺大的，讓人識破了怎麼辦？買一張舊紙好幾千上萬的，畫壞了這紙就吹了，他也要付出很多。弄這個沒什麼意思。

我們跟外界接觸得特別少，就是兩點一線，到這兒上班有時候連院子都不出。故宮這麼大，西邊那些部門都不熟，見面知道是故宮的人，但不知道名字。下了班就回家。生活很單純。沒有那麼多跟外邊接觸的、有利益的東西。

一般的人，現在好像覺得我們幹這工作挺好的。其實以前我也聽到過不同的聲音，就說你們整天老照人家畫有什麼意思？你自己創作多好啊。有一段時間，社會上文物不像現在那麼火，那時候文物也不允許個人買賣，跟大夥、跟這個社會特別遙遠。我們同學問你在哪兒，我說在故宮。搞什麼？那有什麼意思？沒意思。而且掙不著什麼錢，那時候也是。能夠留下來的人都是喜歡這個，能天天看到真跡，能照一個真跡畫太不容易了。就是喜歡，別管掙多少。

4-3

利益是暫時的，傳承是恆久的

巨建偉

我是清華美院畢業，二〇一一年來故宮的。我們這邊都是師承制，沒有儀式，但是有制度，老師會做一個規畫，部門裡面會給老師一筆費用。對，我是叫老師，還是像上學一樣。

剛進來時，印象最深的是基本技法的練習，尤其是勾線。我在美院讀的也是中國畫專業，這些基本技法應該是在上學期間已經解決了的，但是故宮對專業技法要求特別高，要重新練，當時勾了將近一年的線。所有畫畫的人都知道，勾線的練習非常重要，它是一個基礎，底子打得有多厚，做的建築才能有多高。但是很少有人真正拿出一年時間去勾線，在學校要安排其它的課，生活中有其它的事。但是在這邊，這就是工作。

美術學院是開拓創作思維的，臨摹是為了學習技法，學習古代繪畫的精神性的東西，是為了創作。這邊臨摹，要求高精度高準度，一模一樣。高校的標準可以讓你畫國畫沒問題，但那個標準拿到這邊來是遠遠不夠的。因為來了之後有幾個月一直在勾線，這個過程讓我感觸很多。很長一段時間都在做一件簡單的事，手和心結合做這麼一件簡單的事，我們對勾線這麼一個簡單的行為，就掌握得更微妙了。比如它的水分多少，摩擦力是什麼摩擦力，墨的顆粒的粗細，在什麼樣的紙上能產生什麼樣的效果。掌握這些微妙，也就提高了對畫面基本元素的掌控。這種標準，高校那種訓練方式是遠遠達不到的。

臨摹也有自己獨特的訓練方法。我們練線時是在膠板上勾，是一個塑膠的透明狀的小薄板，表面光滑，加上墨是液體狀，毛筆又是溼潤狀態，都是很滑的，在這上面如果都能勾得很好，再換成紙，勾起來就比較簡單了。胡老師他們都是這麼訓練過來的，確實是一換到紙上就特別簡單，特別輕鬆。它訓練的是你手腕對力度的掌控、協調。

要摹好古畫，摹畫師就要有那個時代的功力，這個要求並不苛刻。我們的工作不僅僅要臨摹，還要接筆。接筆就是檢測一個人的綜合審美素養、對基本技法的掌握，就是在考驗一個人。臨摹是用自己的能力、方法去達到這個標準，而接筆是直接跟標準碰撞，直接進入角色。它要求更高一些，這個機會也很難得，不是所有人都可以去做的。

第一次為文物接筆時，沒有緊張，可能也會有一些，我覺得還是得益於我們這個系統的訓練，就是心裡有數。那是我來的第三、四年吧，因為我們三年是一個培養階段，培養階段是不動文物的。這也是對文物的一個保護。

前面已經有了四年的高校學習，仍然要一步步地接受學徒式的訓練。只有來到這邊，見到這個標準和要求之後，才知道原來在最基本的繪畫語言上還有這麼大的差距。所以是不著急的。而且經過那種系統訓練，你真的覺得自身得到了很多，後期上手去做就不是很緊張。因為前面三年已經練了很多了。

在這邊，如果畫畫的話，每天第一件事就是磨墨。我們不用現成的墨汁，研出來的墨，首先它穩定性比較強，裝裱時不會跑墨；畫完後要洗硯，當天的墨當天用。如果它過了夜，我們稱為宿墨，宿墨的膠體有的就揮發了，剩下全是炭化的顆粒，它的穩定性差一些。

磨墨的技巧就是用力盡量均勻。用力均勻，磨出來墨的顆粒大小差不多。如果你特別使勁，磨出來的墨可能比較粗；如果太輕，又磨得太慢，顆粒就比較小。當然從畫畫效果上來講，要求墨盡量細。如果墨很粗的話，你想畫得很細是不可能的。所以說中國畫，就要創造繪畫過程，從頭到尾的工序都要很講究，它是修心的過程。磨墨是畫畫第一步，它不僅僅是製作墨汁的過程，它是人從生活狀態進入創作狀態的過程，磨墨就是在靜心。

不僅磨墨，前期的這些基本功訓練，都不僅是技法的訓練，還是狀態的調整。在高校的狀態是不一樣的，我們接觸的都是老師，還有身邊一些畫家。老師要做市場，有很多涉外活動；而我們是作為畫家或後備畫家培養，同學們在一起，能力都不錯，會彼此競爭，比如會涉及到獎學金等利益關係。

外面是在各種利益關係之中生活。到這邊那些就沒有了，沒有人去強調利益，很和諧。我來的時候這屋還有四位老先生，都是女同志。我一來大家都把我當孩子一樣。這邊就像一片淨土，狀態很純粹。因為大部分時間都是在做一件很簡單的事，看似簡單，但又非常重要。追求利益的心態一下就靜下來了，反而更接近繪畫的本質。在這種狀態下感受到的東西，才是最微妙的。

我反覆說微妙，具體到技法，就是對力度、水分、材料，我們能夠掌握到很小的微差。掌握不好，那就談不到畫得好不好，你只是一帶而過。其實哪怕是一條線，那也是有精神性，有氣質的，不是說我們把這個東西摳出來就行了，而是真正地感悟到，盡量用原作者的那種創作狀態感悟，進入他的狀態，這樣出來的作品才可能和原作的精神狀況相通。

在美院，我們是作為藝術家培養的，但這和作為臨摹師的職業狀態並無衝突。相反，因為我是學創作出身，接筆中，它缺的是什麼，原作者是在什麼狀態下、什麼審美思路去創作，這方面我就相對敏感一些。另一方面，臨摹不會損害創作。臨摹自古以來就是創作的一個過程，基本功扎實了，看古畫，有價值的資訊會看出來更多，因為我們經歷了高標準的訓練。所以說這種學徒式的基本功訓練，對學院出來的人是非常有幫助的。

單位有一個不成文的傳統，做臨摹時一般停掉創作，因為臨摹要高度地尊重和遵循原作。不像兩宋是共性審美，後來美術史是朝著個性審美發展，如果長時間搞創作，可能在臨摹的過程中會有障礙。我倒是沒有停掉創作，因為在我心裡有一個界限，盡量不要把自己的個性帶入臨摹的畫作裡，還因為我搞傳統方向，其實大部分時間研究的是共性審美。

同學中的確也有搞創作而名利雙收的。其實搞專業的人在一起，更尊重的是對方專業上的含金量，而且雙方也是清楚的，大家還是更看重這些，其它都是表面的。因為我們是屬於直接接觸文物的部門，我們看到的這些經典，外界的朋友或是同學，他們可能一直沒有機會見到。看到真跡對學美術的人還是重要的。畢竟都是專業院校出來的，大家很明確地知道什麼是從大道，什麼是從小道，什麼是尚大美、什麼是尚小美。當然還在持續交往的朋友也會有著相似的精神追求，尤其我們這個年齡，最要緊的還是積累和學習的狀態。

我是一九八七年生，三十歲了。我覺得現在就應該是積累和學習的狀態，如果現在就要如何如何，一方面是過於求成，另一方面本身技術還不好，前期不扎實，後期通過其它手段，就是做起來也是不穩的。我們這個職業就是經過長時間的積累，最後產生質變，產生昇華。最近這兩年外邊的市場也不好，也在調整，大家越來越理性地認識藝術品價值，不像幾年前大家都跟風去做市場。許多畫家也都收回來畫精品，挽救他的市場。但是我覺得就應該是這種狀態。

這可能和我一直主攻共性審美也有關。共性審美從概念上講就是大美，比如兩宋的審美幾乎包含所有的審美元素，畫面的裝飾性、色彩的協調、筆墨的精進、氣息的飽滿張力等。元以後為什麼不那麼畫了，因為太累。最後變成大家一進這個領域就緊張，因為要包含這麼多的元素，它是一個幾近完美的東西，所以不能釋懷了。釋懷就是通過一種行為達到我內心的寄託和愉悅，我要搞審美輸出，我要讓別人感受到我的這種狀態。兩宋時大家追求的是，創作這幅作品我很舒服，別人看了也舒服。但個人審美發展到最後，極端的就是，我自己舒服，你們舒不舒服我就不管了。

元代文人畫興起，就是在共性審美的高壓下，覺得自己要釋懷一下，要舒服一點。我是覺得呢，我們這個年紀應該把共性審美的東西系統地積累一下，我們看元明清這些文人畫，他們其實都是具備強大基礎的。沒有基本功，也是無法直接就釋懷的。

我覺得畫畫是一個事業，做規畫的話應該做得遠一些。

臨摹是以臨摹工筆畫為主，最多到小寫意，大寫意就不臨摹了。但是即使是工筆或小寫意，也要追摹原作者的創作狀態。現在有很多人理解，工筆就是要畫得細，但沒有神韻，其實不是。古人可能對寫意和工筆是沒概念的，這是後來人的總結。不應該抱著這種區分去畫，容易把簡單的東西用更簡單的方式去畫，複雜的東西用更複雜的甚至是製作的方式去做。

簡單的東西用更簡單的方式去畫，就是說如果心存了這個概念，我畫的是寫意，你會想簡單地畫畫。其實畫寫意也要有很好的基礎，因為雖然表現形式是簡單的，但要用簡單的方式表現出更多的內涵，這是寫意畫的宗旨。

複雜的東西用更複雜的方法畫，就是提醒自己畫的是工筆，我應該畫細一些，畫精一些。要是使勁往裡畫，最後可能就把一些製作性的東西加進去了。現在有很多工筆畫用些特殊材料，用一些製作性的技法，橡皮擦什麼的，做出一些特殊效果。我覺得它只是在追求一種質感和物象而已，並沒有把更多的審美元素通過畫的方式表現出來。製作可以進到繪畫的語言裡面來，但這種涉入、借鑑和學習是有尺度的。就像我搞臨摹工作，創作怎麼搞，是有一個尺度的。其實古人更強調「畫」這個概念，強調畫的過程和動作。

現在好多搞工筆的畫家用太多製作，反而失去了繪畫本身的語言和味道，很容易就變成裝置藝術。

也許有人會覺得我這樣的想法有一點落伍，但我覺得學習、傳承和發展繪畫藝術，應該站在一個歷史的高度。第一，要真正地熟知傳統；第二，要客觀地面對現在這些審美元素，客觀研究非繪畫語言的借鑑和學習；第三，發展也是站在傳承的角度去發展。如果先人幾千年來的審美歸類、我們民族的審美優勢都不要了，直接去拿別的文化的審美去做的話，就失去了最重要的東西。因為我們的思維方式是在傳統文化的思維方式下成長起來的。

故宮畢竟有自己的節奏，很多剛進來的人有一個磨合的過程，我現在是過渡階段。我來了之後，深切感受到有更多東西需要學習。同時，一個完整的審美是構建在不同方面的，是一個綜合領域。我們這邊什麼部門都有，不僅在自己的古代書畫上學習，而且能夠看到其它領域，拓寬審美，這種吸引力更全面，比一個學科或一個專業更具吸引力。所以對單位有一種特殊的感情，就像一個人對學校有情結。

另外一個方面是人際關係，大家都很熟，在不同的專業和領域有自己的成果，溝通過程中又能彼此學習。不僅是跟文物學習，人跟人之間也有這種學習，這幾點因素造成了我們對這邊的高度認同。

然而，可能因為年輕，所以也是在不停地調整。我們最好的狀態就是不受任何影響，全身心地在這邊研究。但除了工作之外，還有很多其它的事，和我們搞專業矛盾的東西……其實就是一些俗務，但它會占用我的時間，最重要的還是時間。

臨摹的確面臨著電腦噴繪的衝擊。會不會感慨自己進入了一個冷門行業？不會。所謂熱門冷門還是跟利益有關。不熱門有可能是暫時的，但是這個技藝，或者說傳承是恆久的，因為繪畫本來是文化傳統裡很重要的一部分。重要的是掌握古法，掌握這種傳承的責任，它冷不冷熱不熱的，沒什麼太大關係，就像古人講的，朝聞道夕死可矣，我知道這個東西了，我那種滿足感和我那種成就感是那些東西沒法衝擊的。因為我們不用這個東西跟別人做生意，也不拿這個東西跟別人去比擬。

來這裡近六年，臨的作品並不多，幾件吧。因為我們中途可能還會協助他們去做接筆，做些其它工作。接過的畫中最喜歡的是《崇慶皇太后八旬萬壽圖》。裡面有兩個皇子，面部只剩下一半，有的就剩一隻眼，那邊就得畫出來。接筆就是這樣，要通過現有的一些資訊，然後把另外損失的資訊補上去。因為那個留下來的信息量不多，而且面部接筆比花花草草更難，我比較喜歡有挑戰性的工作。

現在臨摹的《羅漢圖》是我喜歡的。我喜歡宗教題材，因為有很多非現實的的故事情節、人物或者畫面。長時間畫現實的東西，會比較壓抑。畫一些我們認為好的畫，又能在裡面寄託思想，寄託我們的情感，畫面給人感覺是可能存在的，在現實中卻並不存在。這個空間和領域是我比較喜歡的。

工作對我的創作主題發生了影響，現在朋友聚會，也會酒後即興地去畫羅漢圖，它既是一種自覺的主題創作，也是不自覺的潛移默化。因為長時間沉浸在精神的享受中，所以當我去釋懷，把這種喜悅分享給別人時也是這種狀態。

臨摹對我一直都是一種享受，因為你做的事讓自己每天都在進步，你有成長感，有向上的感覺。不像有的工作，下了班都不想提工作的事，因為那個過程對自身可能沒有什麼滋養，所以他也不會幹得太好。

我從去年年初接到這幅《羅漢圖》，之後馬上就做文物修復成果展，做了一年左右。

清 丁觀鵬《羅漢圖》

真正在摹有七、八個月，摹完大概要一年吧。你說得對，照相一分鐘可以照六十張，但是一個臨摹師一年只能臨一到兩幅。臨摹比自己創作要慢，因為自己畫是按照自己的規則在做事，臨摹是我們按照別人的規則去做事，各個狀態都是在調整中去進行的，所以效率要低於創作。目前就只臨摹過幾件。聽起來比較少。

這種節奏跟外面世界迴然不同，但是走到外面時倒沒有你說的那種不適感。對一個搞藝術的人來說，他區別於其他個體，比如商業個體的，就是他能夠在自己的世界裡去成長，去生活。因為他是給別人創造精神世界的人，如果自己的小世界都那麼脆弱，那我們就沒有能力去營造別人的精神世界。

4-4

規矩的第一條就是要守住寂寞

沈偉

我們是一九八三年一起進來的一批，鼓樓中學文物職業班的。我跟王有亮一個學校，他是二班我一班，定向培養的。當時故宮有一個跟國外合作的專案，我們進來做青銅器複製，幹完以後分到各個室。當時刻章組的老師傅正好五十多歲了，要收徒弟，給我調過來的。

篆刻屬於摹畫的一部分。古畫都有印章，我們是專門摹印章。摹畫裱完以後，最後一個程序是蓋章，比較特殊，重中之重的。從金禹民先生算起，我們現在是故宮摹章傳承的第三代。

我師父是劉玉，他現在還健在，八十多歲。眼睛不行了，青光眼，刻章比較費眼睛。

一隻眼看不見，一隻眼睛可能是零點幾。還行，保持住了沒往下發展。後來師父跟我說，他是從十幾個人裡選，看寫字，看靈性什麼的。我都不知道。

我師父的師父叫金禹民，北方篆刻泰斗。我師父文革時中學畢業，進故宮後先在木工室待了一段時間，心靈手巧，也是我們師爺給選過來的，來繼承篆刻。他也是在故宮裡學的，不是大學出來的。我沒見過金禹民先生，他們有時候跟我講到他。我們講一輩傳一輩，過去講究做手藝收徒弟，一點點訓練，現在我們師父也退休了，就剩我一個人了。摹章組沒有說一個師父帶幾個徒弟，都是一對一，單傳。篆刻工作量不是特別大，教得好，一個就能勝任工作。

我跟我們老師關係很好，每年初五去拜年。一年可能能見個三、四面，平常打電話。見面的時候就聊些過去的事，工作情況、人員變動什麼的。那幫人思想感情不一樣，對這個廠子有感情。老師眼睛不是特別好，每年體檢我都陪他去，他在職的時候青光眼手術也是我帶他去的，我在場他踏實。就是跟父子似的，有什麼要求，就直說。有的徒弟，師父退休就忘了。我們單傳，不一樣。所以說我找徒弟的話也是看人品。現在都是院校畢業研究生、博士生，就看一個人品，看一個為人，對你師父尊重不尊重。現在這

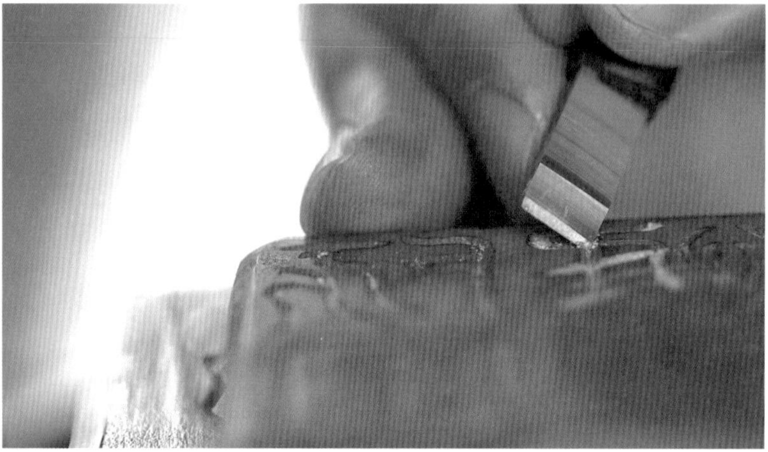

方面比較淡，因為老人不多了，我們還承接著上一輩的風氣，可是下一輩、院校的又不一樣。

剛來的時候覺得師父話不多，熟了以後特親近。八〇年代出國熱，裱畫室走了五個，我年輕還沒結婚，想去日本。那時候不懂。師父沒勸我不要出國，只是叫我好好學，因為我一心想走，心沒用在這兒，後來慢慢地心才收回來，到現在也二十多年了。

師父知道我想出國。我不想出國了之後，去他們家，他跟我說，一定要好好學篆刻，這是自己一輩子的手藝。我們憑經驗，不是一時衝動，心血來潮想幹什麼幹什麼，不是那樣的，是平下心來踏踏實實幹一項工作，一門心思撲在這上面別想其他的。因為他經歷過很多事情，什麼「反右」、「文革」，他說手藝誰也拿不走，真的。後來覺得他說這話挺對的，也就專心做篆刻了。

師父工作中比較嚴厲，平常做人的話很隨和。我剛來的時候，他比較內向，剛經過文革嘛，後來老了比較開通，有時候跟我們一塊吃飯什麼的。

《清明上河圖》可能有一百多個章，都是我們老師蓋的。我蓋過的最多的一幅是《蘭亭序》，一百多塊章。這一百多個章裡，可能既有我師父劉玉的章，也有金禹民先生的。

以前摹過的章就擱組裡當資料，下次可以再用。沒有的我才摹。

師父最常跟我們說的是要守規矩，規矩就是圓規，幫你把章蓋對地方。字面上講規矩，第一個就是寂寞，守住寂寞。我們從事這一行時間都比較長，老師都幹了一輩子了。第二個是認真。不能出錯，人家兩年、三年畫出來的畫，我們蓋印章就是十分鐘，不能錯。蓋錯了沒法修，印章是紅的，擦不掉的。所以幹一輩子不能出錯。要是光線不對、情緒不對，不幹都行。情緒激動就別幹活，幹出來不如不幹。因為人工有生命力，不像複印，人工臨摹有生命力，可以反映人當時的心態。

來的第一年，是跟師父寫篆字，篆刻嘛。每天寫。寫篆字寫了一年多，偏旁部首怎麼用筆都得教。然後才動刀，動刀是以磨為主。從房山那邊開的石頭，就是硬疙瘩，不像印章一樣都是現成的，它是不規矩的，自個兒磨成方的或者圓的。這也是在練手。先鋸再銼，銼完拿砂紙磨平了。怎麼保證水準？底下墊玻璃，上面放砂紙進行打磨，就這個磨平都挺難的。現在有的人可能沒那個心情，下不了功夫，不像我們過去，必須平平整整不能歪，一壓四邊不能亂晃，要打平。晃的話容易蓋錯，那是嚴絲合縫的，不能錯。

這裡最關鍵的就是角度，什麼叫規矩，就是這裡成九十度。

磨石頭磨一年多。師父說，打好基礎才有後面幾步。不覺得枯燥，因為知道自己在幹什麼，也知道這是為了磨自己的性子。不像大學，我們比較傳統，是一脈相承慢慢過來的。歷朝歷代都必須經過這一套嚴格的訓練。

最後的關鍵是做舊。真跡有的是幾百年，有的上千年，新舊不一樣，怎麼摹到不同的舊的程度，這是學問。所以書畫鑑定方面有人看絹、看紙張，一看（是）新紙就知道不是老畫。如果紙張什麼的都對，最後就看印章，這是一個書畫鑑別方法。做舊的方法各種各樣，原章有黃的有深色的有黑的，根據它的情況做舊，比如有的蓋完後塗點兒灰擦一擦，擦灰只是一種。

現在我們組就我一個人，去年我應該也帶徒弟了，徒弟沒進來。應該帶了。現在那學生都屬於科班出身，有專門書法系，一起步就比較厲害。對他們，基礎的不用教了，不像我們，剛來的時候從頭學起。但傳統篆刻裡邊講究技法和特色，這方面要再教一教。

現在講究印章配套，不能多蓋。可是皇帝不講究那樣，過去誰收藏就蓋誰的。《蘭亭序》就好幾百個印章。皇帝呢，有專門鑑賞章，有工藝收藏章，收藏一批皇帝蓋一批。上面蓋滿了就蓋到畫芯上，其實這是比較忌諱的，破壞畫的整體。可是這樣也有歷史的資訊在裡邊，也挺美。鑑定畫的話看紙張，專家們鑑定就看印章，看印章就告訴你這畫都經過了哪些人，一脈一脈的。

故宮這些字畫，基本上就是皇帝印章，老先生很多都刻過。刻完了我們給收起來，就是資料了。前輩複製過了我們就可以用現成的，沒有的印章，才重新刻。過去老先生在的時候，一幅畫可能臨摹八年、十年。中間有時候體力不濟，有時候生病，但出來效果是跟原畫一模一樣的。老師傅臨摹的許多畫現在也是文物級別了，不讓亂賣。

自己摹過的，印象比較深的是泰山刻石拓碑。裱起來，有兩米長、一米寬吧。它特殊在於，章有時候蓋一半，畫芯蓋一半，裱的地方蓋一半。你揭的時候就一半一半的，蓋的時候也是在畫芯上蓋一半，裱的部分蓋一半，那是比較難的。必須用圓規，我們叫規矩，就方的規矩必須找齊了，然後才能用拷貝紙先蓋印，拷貝紙是白色透明的，就一次一次地找，因為畫芯上有，我們不能在畫芯上重新蓋。就蓋在我們重新裱的地方，必須把整個印章給蓋全了，這屬於半印，可是效果是一整個印，那是比較難的。

從一九八三年到現在三十多年了，我大概臨摹了幾百方，上不了千。過去是給原畫拍照，然後照片上再勾稿、再對照，跟現在不一樣，現在高科技電腦掃描。郭文林老師比我們早一輩，他摹的畫比較多，一般都是臨摹原件。現在原件少了，文物不讓碰。摹畫，文物拿出來一放三、四年，怕出危險，文物意識提高了吧，很多就用電腦掃描代替，原則是少動文物。照一次相，放電腦上，對著電腦、對著視頻臨摹。以前，書畫組庫房我們可以下去提文物。現在真正接觸文物都比較少了。

電腦掃描複製不僅快，也解決山水寫意的臨摹問題。他寫意，他一高興一畫，怎麼臨摹？字也一樣，草書你怎麼複製？楷書、行書能複製。狂草、寫意畫，我們達不到效果，以前只能照相複製，然後人工修，著色、提色、蓋印章，才能達到這個效果。現在先進多了，我們有掃描，一部機器十幾萬，那快。所以現在臨摹和複製的就不多了。我們科加上照相室，編制就八個人，原來十幾個呢。摹畫室是逐步減小。他們裱畫室要加大，因為裱畫需求量比較大。

但是我們原來就講究精，不講究人多，八個人其實已經夠了。因為我們不像別的科室，像漆器、木器、銅器、鐘錶，他們修的東西比較多。我們就是人工的複製，工作量比較小，但要求精。你的畫必須達到原件的效果。不在多不在大，在精。人工臨摹文物的越來越少了，故宮還有，可能國家博物館還有幾個，其它地方都是機器代替了。反正就是得忍住寂寞。

我是一九六四年生的，五十多歲，離退休還有不到十年，正好能接班。摹章的技藝必須傳下去。現在學生起點很高，不用從頭學，可是印章複製有好多比較特殊的地方，祕密的技巧，要傳給下一代。畫都有絕招，你想手藝方面，沒絕招就沒法幹什麼了。可能就跟窗戶紙一樣，覺得挺神祕的，怎麼那麼像，怎麼達到效果，怎麼蓋的？就兩個字：功力。時間長了日積月累，你自然而然就形成那個工藝。說是說不出來，怎麼細也說不出來。因為這個全在手上呢。只能看作品，一看效果，怎麼那麼絕，怎麼那麼像啊？可一問的話，你就沒法說了。很多手藝的東西，特殊就特殊在這兒。

我喜歡中國傳統的東西。你看上面掛了個鳥籠，不能養鳥，髒，有鳥屎鳥毛。掛個空籠子，想像一下，想什麼鳥是什麼鳥。冬天養蟈蟈，冬天叫聲好聽，夏天你看外面鳥叫，各種聲音都有，蟈蟈叫就沒有意思了。冬天鳥都不叫了，那時候蟈蟈的叫聲才好聽。

我在這屋待了二十多年，我們老師退休從這兒退的。剛來的時候小院沒有那個架子，我讓人給搭的。還有一棵棗樹、一棵核桃樹。核桃樹是他們師父種的，起碼有個五、六十年了。這個季節就可以吃了。我是西三所裡面最愛種東西的，玉米都是我的，今年我種了黃瓜、番茄和茄子，還有美國小葫蘆，都是小苗培養，秋天的時候才能收穫。那邊是他們點了點兒豌豆，苗出來，是被慢慢頂出來的。每年種一次，清明前後開種，秋天收穫。有時候秋天蟈蟈鳥蟲一叫喚，感覺那氣氛就回到田園。九、十月份，收穫的時候就是這樣，美極了。我們在這兒三十多年，沒什麼變化，只是春夏秋冬，四季景色不一樣。春天是生長，秋天又收穫，完了冬天又是下雪，不一樣。一年四季，表面沒有什麼變化，自個兒創造一些變化。

我們快搬了，最後一年。搬家了就不能經常回來了，院規規定沒事別串門，各工作室很少串。搬了，東西給別人唄。今年已經播種完了，秋天就收穫了。明年，讓他們後面的人種吧，喜歡就種，不喜歡就不種。一年四季完了就完了。

伍

木器室

5-1 反覆琢磨，為傳統延續生命——木器修復師

「木匠是民之本」，中國人對木頭有著極為特殊的情感。幾千年來，中國人一直在用遠比石材脆弱很多的木材建造家園。生活在樹木旁，住在木房子裡，在木桌上吃，在木床上睡，用木頭造紙，用木頭刻版印刷。五行之中，「木」給人的感覺是最親切的。

木器組位於西三所進門第一個院子，不知是否因為「木」的獨特屬性，這個小院裡的樹木是最繁茂的。夏天時，它們的枝杈在天空中連接起來，綠蔭遮住整個庭院。

中國傳統傢俱的最高成就出現在明代。多採用黃花梨、紫檀、鐵梨等名貴硬木材，少有繁複裝飾，運用木材的天然色澤、紋理，以各種直線、曲線的組合來達到簡潔大方的裝飾效果，「材美而堅，工樸而妍」，被稱為傳統傢俱的黃金時代。清代傢俱在此基礎上予以發揚，用料厚重，雕刻繁瑣，裝飾華麗，形成了自己的風格。

明清硬木傢俱的收藏與修復是故宮博物院一個極具特色的專業領域。明代隆慶時期，為開闢稅源而開放海禁，允許私人海外貿易。這一舉措

直接促進了傳統傢俱黃金時代的到來。南洋各地盛產的貴重木材源源不斷進口，製成硬木傢俱後，又成為重要的出口商品。它和瓷器、漆器一樣，都是中國傳統的外銷商品，對銷往國外的工藝品也產生顯著的影響。[25] 硬木傢俱流行，皇室更是當仁不讓，這種新流行的材料結合皇室要求就形成了明式宮廷傢俱。宮廷設御用監，「凡御前所用圍屏，床榻諸木品，及紫檀、象牙、烏木、諸玩器皆造辦之」，專為皇室製造宮廷木器。清朝繼承了明朝的規制，設造辦處，又從全國選調最好的工匠進京，形成了特有的宮廷木器修復技術。

一九二五年故宮博物院成立，高春秀調入故宮負責木器文物的整理和修復。當時故宮古物館設裝潢科，僅有少數人從事小件硬木器、書畫裝裱與鐘錶的修復工作，這是故宮博物院最早期的文物保護工作。解放後，相繼又調入了胡秀峰、王吉友、王慶華、白錫來、史建春、趙福水，成立故宮木器修復組。如今故宮木器修復室的老師傅有兩位就是子承父藝。在最大限度保留木器傢俱原有資訊的文物修復理念之下，這些高手們的技藝在日復一日的文物修復中，交流融合，代代發展。

木器文物修復遵循「不改變文物原狀」原則。例如，明式木器的特點在於面板相交處採用

25 王世襄《明式傢俱研究》，三聯書店，二〇〇七年。

龍鳳榫結構，傷況多是榫片劈裂或折在槽內，在修復中不能只顧外表不顧其榫卯結構。榫卯結構是修復、研究的重要一環，否則，雖表面上看不出來，但已改變了文物原狀。另外，對文物原件的殘損部分的取捨與複製是「不改變文物原狀」的又一焦點，這是修復中最常見，也是最難把握的。故宮木器修復師郭文通的原則是：「要千方百計地使出渾身解術保留原文物的殘件，慎之又慎，盡量減少複製部件的範圍和數量，以保留古文物的原內涵。」他將一個碎成六十多塊殘片的金漆嵌玉宮燈修復到完整如初，整個過程基本沒有用新的材料，僅以原件中銅絲的彈性與韌性黏合殘片，完成一個造型面後黏結其他幾個面，最終達到完全保留原件，完美體現了「不改變文物原狀」的修復理念。

木器工作室以各項木器製作技術為基礎，結合最大限度保留文物價值的要求，遵循原風格、原工藝、同質材料的匹配方式，對故宮木器文物進行日常護理和損傷修復。修復的基本流程為：清理汙漬灰塵，記錄傷況，查閱資料，分析工藝特點，制定修復方案，之後才能動手修復。比如補配，首先確定要配哪裡，找出同樣類型的原件進行拓樣，再找同樣的材料把拓樣放在上面，把配件的外形鏤（刻）出來，接著進行雕刻，雕刻後的物件要比照原件反覆調整，直至完全契合。最後是打磨、組裝、燙蠟。

許多手藝人不善言辭，更不擅長理論。在《故宮博物院文物保護修復實錄》一書中出現的

師傅們的文章，大多樸實無華。文章起首通常是描述修復物品，結尾往往是「一件完好的某某某，就呈現在我們面前了」或「修復工作圓滿結束」，但拙於言詞的他們寫到工藝規範卻細膩動人。以木器組劉國勝師傅修復明代黃花梨圈椅為例，他記錄的「磨光」程序為：「先用細砂紙輕輕打磨，再採用傳統方法用銼草進行打磨。銼草也叫節節草，是一種天然植物，用熱水泡軟後，用竹籤穿入草的空心裡，手持竹籤進行打磨，這樣圖案所有部位都能均勻磨到。多次反覆打磨之後，雕刻圖案會變得非常光潔、細膩、圓潤，產生年代久遠的感覺。」老話講「三分雕，七分磨」，打磨很吃功夫，功夫在現代成為武術的代名詞，但在以前，它指的是時間。有的木匠用砂紙、動物毛皮打磨完了，最後用自己的手細細摩挲木件，以他們粗糙而溫柔的手掌磨掉木件上最細微的毛刺，在木件表面產生一種包漿的光澤。這個過程中，匠人最大的技巧是一顆沉浸其中的心。

修復中必須遵循「原風格、原工藝」，就算有的藏品工藝水準不高，甚至，按修復者的審美來看簡直是醜陋。這曾經是木器室現任科長屈峰的痛點，他沉痛地說並不是老的東西都是好的，有些老的東西很醜。最初修到這樣的器物，他總有種衝動要改造它們，但這是文物修復大忌。哪怕是價值不高的工藝，「但它反映的是某一特定環境下的製作方式，體現著時代風格，要尊重其本來面目，在修復中把它的整體風格作為參照物，避免人為地、想當然地錦上添花或畫蛇添足。」[26]老師傅郭文通的這段話，簡直是針對徒弟屈峰的告誡。

進故宮後，按照故宮文物修復的「師徒制」傳統，屈峰拜組中年紀最大的郭文通為師，在全組同事面前，雙手敬茶，喊了聲「師父」，開始之後的三年學徒式訓練。但以學院一等獎研究生畢業的屈峰最初並未進入工匠心態，而是以藝術家的眼光去打量手上這些清宮用具，對其裝飾的繁瑣不以為然，但幹活還是利索，每次都是早早交活。一次給一個玉山子底座補配缺失的底足，他一口氣做完交活，師父說：「你做快了。」快了不好嗎？「這東西你琢磨過嗎？」聽到這句話的屈峰愣住了，好像被點了一下。

另一次是修復文淵閣的一扇圍屏，三塊雕龍板缺損需要補全，屈峰領到一塊方形的小雕龍板，對於科班出身的他這都不算什麼。雕到八、九成時，屈峰瞄了眼旁邊劉師傅的團龍板，發現不對，兩龍對比美醜立判。劉師傅指點他：「你這龍跟沒吃飽似的，身上的曲線不夠順暢，顯得沒有勁兒。」同樣一道線，中間的軌跡、力度和律動的變化，都需要沉下心，反覆琢磨。這是工匠的智慧，是匠人千萬次重複後達到的自由之境，外在表現是他們創作時的得心應手。手藝人用手直接創造，從心到手絕無分離，也不容分離。雖然他們不擅長理論，但美的法則早已體現

26 王世襄《明式傢俱研究》，三聯書店，二〇〇七年。

在他們手上。

對於屈峰，這是一次重新審視工匠世界的機會，「在這兒最大的獲得是磨性子。」不管來的時候是什麼人，心高氣傲也好，飛揚不羈也好，進故宮的年輕人都會經歷一個「磨性子」的過程。在故宮待了十年以上的年輕修復師，氣質跟新來的人是不同的。很難描述那種不同，他們走路的樣子更沉穩自信，那種自信，是熟悉了文物修復中的條條框框、接受了界限後獲得的一種自由，是千百次重複做一件事情後帶來的具體的信心。現代社會中的成功者離自己的創造物件通常遙遠，所謂成功常常是銀行中網路上瞬息萬變的數位遊戲，手藝人的自信卻誠實而具體。有時候，屈峰也管這個過程叫做修行。

被磨過性子的屈峰仍然保留著藝術家的趣味，在工作室角落裡雕一個愁容騎士王小波，在院裡放一個自己雕的胖墩墩的蘇東坡，兩個都是自由不羈、特立獨行的文學家，這是他的抒情。但他也會熟練地運用木器室訓練新人的傳統方法，讓他們砸魚鰾，以此來磨練他們的心性。魚鰾膠是木器組的祕密武器，每隔一、兩年就要去海邊千里迢迢買回來黃魚的魚肚，用溫水泡發、加熱，放到鐵鍋裡捶打，直到打成糊狀，過濾晾乾後裁成手指粗細長條，用時加水熬成膠。砸膠是最痛苦的，被捶打搗碎的過程中，出了黏性的魚鰾會把整個鍋都帶起來。「木器室裡年輕的小夥子輪流著一刻不停地砸，一天下來，頂多能砸半斤的魚鰾膠。所以老話叫好漢砸不了二兩

鰾。」整個製作週期長達數月。木器組王師傅的父親，當年修太和殿龍椅時用的就是這種膠。鍋裡一熬，拿根筷子插進去，拎起來都不往下滴湯。最關鍵的是，用這種膠修文物，完全可逆，用點熱水一泡，就能化開。

砸魚鰾膠，屈峰幹過，他的師父郭文通幹過，郭文通的師父白錫來也幹過。民間手藝的祕密就包括在無數類似這樣的千錘百鍊中，其間並無捷徑——他們不用市場上現成的，因為不如自己做的效果好。手工藝做到一個境界，對工具輔料的要求就越高，以至於只有工匠親手做的才能滿足要求，因為親手做的物料裡，匠人用了心。

5-2 木工來源於生活，也接近生活

史連倉

我三歲就到故宮了，就在故宮腳下住。每天都是我父親帶著我在北門這兒玩耍，他上班我就跟著，故宮裡頭我是很熟的。小時候故宮人少，樹也少，空地多，我父親工作那邊有空地，他們種白薯。九月份時刨白薯，科技部原來有兩部車，我們家分了兩車半大白薯。那時候我小，我媽讓我擦白薯絲，我就抱著一個大白薯這麼擦，擦完了白薯絲吃包子，剩下那湯過濾，能出好多澱粉。這是童趣。

我父親就在木器組，一九五五年到故宮的。他年輕時在北京學徒，後來故宮成立修整組——科技部前身是修復廠，修復廠前邊是修整組——那時候需要人，他師兄來得早，這邊缺人就把他招來了。他師父是高春秀，師兄胡秀峰先來，然後把他找來的。在我的

心目中，我父親手很巧，心很細，他什麼都會弄。你說木器，黑白頂他也會。我侄子小時候玩具少，父親用汽水瓶蓋焊得跟繡球似的，一瓣一瓣的，焊得很圓。

我是一九八〇年來故宮的。文革時號召不在城裡吃閒飯，故宮也有個五七幹校，在湖北，號召家屬隨著走。我母親那時候身體不好，一到夏天就起痱子，湖北不是熱嗎，就回來了。一九七九年我回城以後，一直沒有工作，我父親在一九八〇年退休，我接他的班。

他是木匠出身，在家裡做些木工活，我耳濡目染，也薰染了一些，實際上到農村以後也做了一些木器東西。像鍋蓋，那時候農村一般都用竹桿編的，我就給他們做木鍋蓋。實際上在農村這幾年我也鍛鍊了不少，我們村就一個木匠，有什麼木器活的時候都找我。

到木器組之後，是跟我父親學藝。接班，你畢竟得接好班，得學，學到三年以後才能再有別的想法。後來換了主任，不留用了，就讓父親他們走了。其中有王師傅的父親。正好三年多一點。

• 剛工作的時候很忙的，一有展覽，就晚上加班。

修復，修容易一些，複製就稍微難一點。比如說我們得上醫科大學複製一個藥櫃，實際上是楠木做的。你做的那個榫卯一定要跟嚴的，按照原來那個接法，那榫給它窩進去，不平不好看。難度其實挺大的。

特別老的東西，要是缺損了，需要補配那就難一點了，需要雕刻就更難。浮雕還容易一點，透雕更難，要是缺的面積大一些，那就複雜了。參與修過的印象深的，皇極殿那個計時鐘，一個銅壺滴漏，那是比較重的。九幾年要去美國展覽，給大拆大卸了，有些配件需要補配，配上了，組裝，組裝完了沒去成。修太和殿龍椅我沒參與過，那是老輩的事了。袁世凱坐的椅子，我修過很多。

一九八〇年進宮到現在也三十多年了。跟民間木匠來比，工藝沒多大區別，都是榫卯結構，就是細的工藝上有差別。比如雕刻上，民間都是軟木頭，一些柴木，就這麼大差別，其實結構上差別不大；價值來講，咱真是比不好，民間的東西畢竟是民用的，這都是皇家用的，沒有可比性。

我結婚的時候傢俱是我自己做的，自己做的榫卯，該刮的刮，這個工藝上確實差別太大。因為什麼呢，咱們是柴木，到這兒都是硬木，硬木來講就得細。

最近修復的這把椅子是明代的，黃花梨的，很秀氣。明式傢俱都很秀氣。按照修復來講，首先得瞭解它的朝代。按心情來講，朝代越長的，越精細一點。但其實我們修什麼都一樣，修什麼都精細。

如果你沒有木工的基礎，三年我估計是不夠出徒的，應該再長一些。但要是像他們從美院出來的，有雕刻的基礎，有觀察力，有動手的能力，這樣好得多。

你要不喜歡你也堅持不了這麼長時間。喜歡什麼？喜歡就是它接近生活，因為它來源於生活，也接近生活；而且每天都有新變化，每件器物都不一樣，也可能階段時間會重複一下，每天都能接收到新的器物，每天都有新鮮感。

還有一年多我就退休了。我對這兒太有感情了，跟他們真不一樣，十幾、二十幾歲才認識故宮。我是三歲就認識故宮了。進來以後，挨屋串，從這兒一直串到我父親那屋，對各屋都很熟悉，很有親近感。就像自己家一樣。那時候一到週末，故宮裡頭還放電影。

嘴上我也說退了休我就走，實際跟別人不一樣，他們退休就走，對於我來講，還真是有點戀戀不捨。如果需要我返聘，我會義無反顧地回來。這份工作吸引我的地方，說大了，還是雄偉建築，我去的地方也不少了，但是還沒有去全；說小了，還是自己這點私人感情，真是那樣。

我們就要搬到西河沿兒去了，當然會捨不得，對這個院感情深。可能有人會覺得搬到新環境，條件更好，那是另一種想法、另一種思維。這是個舊的地方，可你是為皇家修舊東西，還是以舊為首選。為皇家看家護院也好，是修復打雜也好，都是很神聖的，畢竟是老祖宗的東西。

不像畫畫有自己的落款，我們修完以後，什麼也沒有，就是現在才有個修復檔案，檔案裡頭有自己的名字。原來就是趕緊修，修完拿走，對留名看得很淡，也記不住留名。我老想記住，老想寫日記，今天修什麼了，記下來。年終總結的時候，老下決心，從明年開始，但是明年一開始，還是沒記住。快樂全在修復過程中，自己有自己的成就感。

如果有一天離開故宮，我不會做這個。出去做也就是為了點錢，現在不需要那麼多錢了，夠吃夠花得了。咱也不為名利，有些人出去是為了名，咱也不為名，就更不為利了。在這兒工作，人熟地熟有樂趣，出去人生地不熟。我這個人嘴笨，守舊，你要出去

幹，你這歲數了，人家不會讓你幹，得讓你說，嘴笨得說不出來，人家怎麼用你。說得天花亂墜的沒用，踏踏實實的，只要是故宮返聘咱就幹，不用我了回家就完了。踏踏實實地回家養老去，實實在在的。

5-3

文物的價值不在於修復，而是傳承

屈峰

我是初中開始學畫畫的。我表哥就是畫畫的，他自己沒考上，但他是我們那兒中學的美術老師，他老想培養幾個學生考上，有一年還真有一個考上了。

我上的中學可以說是我們那個地方最差的。比我高年級的初三的學生全部被逮了，少年犯，逮得就剩了四個女生。但是自從那個美術生考上以後，大家發現搞美術能考上中專，那時中專是分配工作的。在農村大家都覺得分配工作那太好了，就拚命開始畫畫。

二○○二年我從中央美院本科畢業，去了京郊昌平的一個雕塑廠，做一些鐵雕類傢俱。我老爹老說，你要想想你是農村出身的，沒有關係，得全靠你自己。他說你有個好腦子不如有個好老子，可是你老子不行，你自己想辦法吧。所以當時畢業，我找了好久才找了那麼一個廠子，特別慶幸還解決戶口。我感激給我解決戶口的人，給他買了兩條煙。兩條煙解決一北京戶口，後來跟別人說，別人都覺得是傳奇。工作不到一個月，廠子就不行了，然後我就回歸社會了。你得面臨生存，怎麼辦？辦學習班。

辦學習班吧，我這人性格不適合。一個是我看這小孩不認真我就著急，容易發脾氣；另一個，我發現天天跟這幫孩子糾纏一些你已經完全不想再談的問題，但是你每天都得談這些問題，後來我就說不行，考研究生吧。

我那個導師，他也說你還是考研吧，所以我又考了研究生。研究生畢業，又面臨找工作，我的師妹，就那邊那個科長孔豔菊，她跟我說，我們單位招人，你要不到這兒試試。就晃晃悠悠，一關一關過了，我就混進來了。

到這兒以後，我當時的感覺，很失望，不是失望，是很失望。我覺得這兒是個老古董，而我們是做當代藝術的。我記得我簽三方協議那一天，我就在門前那條窄巷子整整徘徊了一個小時，我從那兒走到大門口又轉身回去，走到大門口又轉身回去。因為我們班研究生畢業的時候，我專業成績是最好的，學院一等獎，我想到這兒以後可能就做不

了藝術了，那時候對藝術是很執著的。

我之前沒幹過文物修復。在學校時我修過石膏像，是個教具，借來了，不小心碎成了六十多塊，我和師妹倆人連夜把那個給拼起來，拼起來以後給修完，然後做顏色，拿到教具科，教具科愣是沒認出來。因為我們平常做完雕塑以後，翻石膏肯定有一些地方不對，我們得修它，所以修這個沒問題，這是美術基礎。

當時我設想的時候，覺得故宮應該條件特別好，每個人就跟醫務人員一樣，環境乾淨整潔設備齊全，我們都是戴著面罩，就跟那種做生化武器一樣的感覺。來這裡修文物，進來以後我一看就是一個老院子，裡邊大家都在修幾百萬幾千萬甚至上億的文物。文物跟這個環境不太搭。

最大一個落差是什麼？我們在美院學習的是創造性，修文物不是創造性，修文物是你必須嚴格按照文物身上所具有的那個規律來做，這是限制。我剛開始確實不適應，不是老的東西都是好的，有些老的東西很醜，我老想給它改了，老有那種衝動，但是理智告訴我這事兒你不能幹。所以就一個醜陋的東西，我每天還得按照它醜陋的方式再給它修復。這幾年慢慢轉變了，覺得醜陋也是一種存在。

前些年，我當時說一句玩笑話，我說我用了一年時間混進來，但是用了七、八年時間想混出去。後來我為這個還做了一系列作品，都是想逃離這個高牆。那種創作的情結一直讓我覺得，你還是想在這個文化的發展上，做一些事情。

我這些年獨立修的文物不多，因為大部分時間都耗在了管理上面。但是呢，我從頭到尾修了一把椅子，叫紫檀嵌瓷片椅。那個椅子，故宮裡邊一共有十四把，所以它肯定不是隨隨便便做的，是為某個活動做的。椅子坐圍上面內外都嵌瓷片，瓷片一看是專門為這批椅子燒製的，因為它的形不規則。椅子是用紫檀做邊，裡邊是黃花梨的影子木。什麼叫黃花梨影子木？就是黃花梨樹的樹根或者樹瘤開片做的木板，這個木板上又嵌了瓷片，瓷片上都是花鳥，每一個花鳥圖案都有寓意，比如說喜鵲登枝、牡丹富貴。他把瓷片固定在那兒以後，背面嵌片是沒有痕跡的，這個結構是兩層板，先把這層瓷片嵌好，後面打洞、擰緊銅絲，再用一層板夾合上，你這樣外邊都看不出來。這個椅子當時四條腿斷了三條，全部是劈裂了，很簡單，它結構設計上是有問題的，裡邊腿和椅面結合的差那麼一個榫。而且在選料上，它沒有注意木紋的問題，它的木紋是斜的，一斜向使力它就劈，所以那三條腿全折了。從它的足能判斷出來這個椅子做得不是很早，應該說是清中期以後的東西，因為它那個回紋馬蹄很明顯。撐和腿結合處，用了一個特別逗的設計，一般的椅子腿結合的話，做一個隔間榫一插就好了，而它又在隔間榫前面加了一楔子，又為了讓那個榫卯穿過去，楔子就設計得比較複雜。我剛開始以為是料不夠故意這麼做的，但是十四把都是這樣，不可能啊，那可能就是有意識這麼做的。那為啥非得要這麼做呢？美觀嘛也不是很美觀，又費工又費力，幹嗎非得這麼做，一直是一個不解之謎。

修文物跟故事一樣，你不斷地探討，但是有些謎底至今你還是查不出來。

從我來到現在，快十年了，碰到一級文物也就三次。一級文物修復是很麻煩的，需要做修復方案上報文化部審批。三次裡還有一次是一張畫，帶著畫框來的，我們修框子，畫歸別人修。

拍紀錄片的時候，正在修的是那尊菩薩像。送來的時候佛像兩個手指頭斷了，下嘴唇缺一塊，飄帶碎了，底下的蓮花座那蓮花瓣也都鬆散了。當時他們提的要求，就是只要能保證展覽使用就可以了，不再過多修復，因為要盡量保證文物的原有狀態。我們就先除塵，鬆散的地方該黏的黏，底下的蓮花瓣按它原來的樣，換個竹釘釘進去，這樣的話展覽沒問題。但後來我覺得這兩根手指頭斷了，挺難看的，而且它手指頭斷了一截，下截存在，根據現有的這一塊能夠判斷出來手指頭的形態，另外根據旁邊幾根手指也能判斷出來它的形態和大小，所以我就給他們打電話，建議把手指頭給它補上，這樣的話會有一種完整感，我們覺得這樣修出來一個菩薩像顯得比較完整。

然後是胳膊這塊有劈裂，本身不打算修，但是這塊披帛緊接胳膊和身體，如果不修，斷裂這塊兒胳膊就很不穩定，搬運的過程中容易把胳膊撅折。當手指頭還有胳膊這些補上以後，我就進一步跟他們商量，下嘴唇要不要補上，因為下嘴唇缺得不多，而且那半拉下嘴唇存在，這半拉不存在，我們可以根據那半拉把這半拉補上，這樣的話就顯得是一個很完整的菩薩像。要不然有時說殘缺是美，但是殘缺那一點兒感覺總是讓人覺得不舒服，而且我們是做到有依據來補，沒有依據我們是不會再補了。我們在補的過程中會有一份檔案來記錄，某年某月補了哪個地方，這樣的話大家就比較清楚。

這個菩薩是遼金時期的。遼、金、宋這三個時期的佛造像，尤其是菩薩造像特別相近，很像很像，基本難以區別。但它還是有一些小地方，一個是它身上的服飾，它的頭

冠纓絡，有一定的區別；另一個就是它在做法上也稍稍有一點不同，這個就是，很玄了，實際上就是一種氣質。宋代的你一看就是漢人做的東西，和少數民族做的東西還是有一點區別。而且敦煌壁畫裡頭有金代的壁畫，那壁畫上畫的服飾和那個纓絡，跟這個佛像是一致的，壁畫上面它是有紀年的，這個就是一個標準樣，你就可以參考。我覺得故宮研究歷史學的、科技的多，但是從美學藝術學研究的不是很多。

我會從藝術的眼光來欣賞它。比如說研究科學的人，他看傢俱的時候會注意它結構力學的原理，我看到更多的可能是它的構成美學。所以我寫的東西大部分都是從藝術的角度來切入，可能跟我們這兒其他很多由科技切入的不太一樣。在我看來，文物跟中國傳統文化關係很大，一個文物的格調，用儀器肯定測不出來。

拜佛是為了什麼？求你賜我點兒什麼，你賞我點兒什麼吧，都是要這個，最後佛像也是走向世俗，越來越像現實中人。有一本佛像度量經，對佛有一個描述，佛是什麼什麼，講了三十種像，八十種好。但是你要今天的人來看，那簡直太可怕了，比如他兩個腳沒有足弓，是平腳，脖子上有幾圈肉，大得披肩。但是人在這個過程中他也會改造，比如宋代人做菩薩像，就把宋代對美女的評判，或者說哪一種人是有福氣的，他就把這些世俗觀念加進去，所以彎眉毛、櫻桃小口這些審美觀念自然就會進入佛像造型之中。

而且佛像的根據是有樣板的，每一個師傅帶徒弟都會給你這麼一個樣板，你照著做，這一時期的佛像，你去看，基本特徵差不多。可能這個匠人笨一點或聰明一點，做的效果不一樣，但它眼睛的造法，眉弓的造法，嘴的造法，或者臉蛋的造法基本是一致的。

這個算還可以了，不算最好的。最好的我也沒有修過，都在國外博物館，有很多特別漂亮的。敦煌這類佛像少，敦煌佛像主要是木胎泥塑，它是用木頭搭的架子，裹上麥草，然後用泥巴糊的木胎泥塑。這個應該都是在寺院，石窟裡邊肯定不會做木雕。如果是在懸崖上做的話，它一般都是石胎的。但是到宋代，因為彩塑多，彩塑多就泥巴多。元明泥塑的特別多。我認為修舊如舊，舊就是經過了歷史滄桑才叫舊，必須是經過時間磨練才叫舊。要把它修成跟新的一樣，那你重做一件不就行了，你按照它的工藝重做一件，你幹嗎修它。修它的原因，是因為它在時間磨損中有損傷了，我要讓它不再損傷，延長它的壽命，並不是說我就要把它弄成一個新的。比如說一個人，他老了，我們只是讓他身體健康能多活幾年，我們不能說把這個人一下子變成二十歲，那是沒有意義的。

就是因為他走完了這一段人生，他的歷程裡有很多事情。文物的生命和人是一樣的，你要把它修到那個嬰兒時期，意義有多大？那我們把故宮拆了重蓋一遍，按過去的工藝重蓋一遍，何必修它呢。就像表面的漆，正因為那個漆經過滄桑歷史它才變得斑駁，它有斷有裂紋，我們才覺得好。它是另一種美，它是歷史滄桑的美，對吧。

經常有人讓我給把把眼。咱只能建議，不能左右人家，他們有錢願意上當也行。比如有的把白檀刷一層紫色，他就當紫檀買，那兩個價格能差多少倍，天吶，也沒有辦法，上當的人很多。我很少幫人看，不願意負這個責任，因為他們就不是真正愛這個東西，好多都是做投資的。這個東西說白了水深得很。你給人家看，有時候經驗不足造成失誤，那損失就大了，所以我就只給朋友看看。

現在有空我還做自己的東西。下一步要關注的是當代人的生存狀況，這挺有意思的，也是我很矛盾的。一邊我是要不斷地去吸收新的思想，可能新的觀念激發我創作；另一方面我又在搞一個很傳統的研究，這個研究從剛開始可能是被迫的，到最後走著走著，也就覺得挺有意思的。現在也慢慢地開始變成從被動到主動。有時候我在想，我自己感覺挺變態的，一會兒幹這個，一會兒幹那個，但是這兩種碰撞，可能會激發出一些更新的想法。

我也有工作室，做自己的東西。現在自己業餘時間都在做作品，所以我為啥中午不願意讓他們來打擾我。我每天晚上工作到十一點，洗洗刷刷睡覺都十二點半了，早上六點鐘就爬起來，我就全靠中午睡那一會兒。

最近在做一塊浮雕。前兩天又通知我，讓我做一個反法西斯的雕塑展，這個沒敢回，因為對這實在沒興趣。我作品盡量不涉及政治。還有你還得再掙點錢，所以這兩天我還給別人做像，做一肖像。那怎麼辦？你說故宮的工資吧，在這個行業裡好像還行，但以北京的生活成本算來，完全差得太遠了。我現在一個月工資九千多，一個月房貸七千多。房子沒錢買就拖得晚，拖得晚就貴。你沒錢就貸款多，貸款多，房貸還款就多。

好多師弟師妹們，有些人家確實作品賣得好的，他們不會來。當初剛來的時候，我有一個同班同學，他養各式動物，很賺錢，現在已經開始養賽馬。前一段時間，他跟我說俄羅斯經濟不景氣，馬降價了，才三百多萬一匹就買回來了。我剛來的時候，一個月掙一千四百塊錢，然後他就跟我說，要不你來給我養狗，我一個月給你三千。羞辱我你知道嗎？所以你說我剛來的時候，我能不想走嗎，就感覺根本養不住自己。

我們工作這小院，你長期生活在城市裡，來到這樣一個環境你會覺得很美好，因為它是田園般的感覺。像我過去二十多年全是生活在農村，看這個環境我覺得我人生沒改變，我從農村到農村。

我們院種的東西最多，主要是果樹，滿足大家很多嘴癮。小動物都是收留型的，都是別人養著養著不要了送給我們，最後慢慢養著養著就成負擔了。這些鳥什麼的，你每天下班可能把它忘了，忘了你就提心吊膽的，如果放在外面，第二天你可能見到的只有幾根毛而已。有貓有黃鼠狼。晚上你一走，這院子裡面就跟動物世界似的，什麼都有。

修復文物這個東西，喜歡嗎，也還行，為啥，它是動手的事情，做藝術的人就喜歡動手，這是天性。比如說那一塊兒缺一個東西，你讓我補，我就很清楚該怎麼補，一步一步要怎麼走，我保證能給它補得基本一樣，沒學過這個的人，他不知道從何下手。這種可能會有一種成就感，你說幹了近十年，要是說一點都不喜歡，很反感，那也估計挺難的，我估計自己都瘋了。但這些文物對我來說，我真的也不會留戀，因為就是過客。我只會說，這件文物我修過，我放心，因為我是認真對待它的，我不遺憾。

在這兒最大的獲得是磨性子。可能有人覺得掌握了很多知識，學會了如何去認木頭，如何判斷風格年代，這個東西實際上是個人你慢慢都能學會，只要你用心。難的是磨性子。我以前是個火辣辣的性格，現在這幾年磨得越來越平了。我是一個跳躍的人、動的人，文物是死的，它不動，不管你怎麼對它，它都那樣。沒得選擇的時候，我跟它耗，耗不出什麼，那乾脆行了我怕你了，在咱倆的對抗中你贏了，那我就好好地去做你，我就靜下心來研究它，瞭解它。就是一種修行。

佛像很難刻，一刻你就知道，味道很難把握。怎麼能刻出那種神祕的純淨的微笑，那是最難的。古人講究格物，以自身來觀物，又以物觀自己。

最早的時候說玉有六德，以玉比君子，玉就是一塊石頭，但是中國人就能從上面看出德行來，他都是以人去感悟物，以物來推導人。所以說古代故宮的這些東西是有生命的，人在製物的過程中，總要想辦法把自己融到裡頭去，這樣物就承載了人的意識，承載了人的審美，承載人的認識。為什麼我們一直要堅持手工修復文物，這個過程中你可以去跟它對話，去交流，去體會它。很多人認為，文物修復工作者因為修好了文物而有價值，不是這麼簡單，修文物的過程，修文物者的生命也在傳承。

陸

漆器室

6-1 格物致知，尋得安身立命之所在——漆器修復師

中國是世界上最早發現並使用天然漆的國家，和絲一樣，漆也是中國人的獨特創造。割開漆樹樹皮流出的樹脂為生漆，曬製後稱大漆，也稱國漆、金漆。漆器，是以大漆髹塗在不同材質的胎骨上做成的器物。早在河姆渡文化遺址中就有朱漆漆碗出土，可知漆器髹飾技藝至少已有七千多年歷史。因其質輕、色美、耐用，從杯盤碗樽的飲食器皿到床榻屏風的傢俱，自戰國至唐宋，漆器覆蓋生活各個領域，到明代，漆工藝進入輝煌期，遂有漆工黃成撰寫的漆工藝名著《髹飾錄》問世。

大漆在胎骨表面結成堅固漆膜，防潮防腐、耐磨耐熱。許多考古發掘的漆器木胎已朽爛，漆層卻燦然完整，因此，大漆在中國文化中也被賦予永恆之意。「堅牢於質」、「光彩於文」，瑰麗的色調加上文化上的永恆隱喻，漆器向來是皇家的御用器具和宮廷珍藏。戰國已有官辦漆器作坊，莊子即是宋國的漆園吏。這一傳統到明朝達到高峰，宮廷作坊果園廠由國家監管。當時在北京服役的油漆工匠每班多達五千餘人。清宮造辦

處「漆木作」在明代漆器製作的輝煌上更進一步，技藝手法集歷史之大成。晚清至民國，因國力衰微，漆器製作亦進入式微。

在故宮眾多文物藏品門類中，漆器共收藏一萬七千七百餘件。其中，清宮遺存一萬六千餘件，薈萃了元、明、清三代上等佳器，以官造為主，民間作品兼而有之。如何修復漆器文物，傳承傳統的漆器髹飾技藝，是故宮博物院的一項重要保護任務。從上世紀五十年代初故宮博物院成立修復組開始，漆器修復就已納入其中，多寶臣等久負盛名的髹飾藝人，成為故宮博物院漆器修復的第一代奠基人。依靠師徒相傳，故宮博物院的漆器修復技術已傳到了第四代。

從漆樹上採割下來的漆是生漆，生漆不能直接用做表面的髹塗裝飾，須經過煉製。如果做色漆，須要先做透明漆，將生漆放在太陽下晾曬，蒸發水分，提高其透明度。如果沒有陽光，在室內用兩百瓦的燈照射也可。曬製時須經常翻動生漆，不令其表面結膜。在這個過程中，不可避免會出現過敏，「生漆毒烈」，故宮漆器組所有的工作人員都要忍受難熬的生漆過敏。

推開漆器組的木門，一股淡淡的香味迎面而來，是混合了木頭、大漆、墨汁、薄荷油和陳年舊物的好聞的氣息。在嘗試過松節油、桐油等油質後，漆器組如今選擇薄荷油作為大漆的稀釋物。純天然的薄荷油是食用級，揮發乾淨，對身體較為安全。

和銅器組王有亮師傅待客時的北京風味濃郁

的茉莉花茶不同，漆器組閔俊嶸待客的是普洱，以公道杯分成數杯待客。茶葉的不同，是大茶杯沖泡還是公道杯分杯，這一點點細微區別道出了兩者的年齡差異：因為沒有老師傅，漆器組是故宮文保部平均年齡最年輕的。二〇〇四年進宮，跟師父學了八年的閔俊嶸，在師父退休後的一段時間仍感到強烈不適。在文物修復中，八年學徒堪稱短暫。有師父在，遇到事兒師父能出面指導，這種安全感的消失給了他極大的壓力。

屈峰和閔俊嶸年齡相差不大，但是沒有人管屈峰叫小屈，卻都管閔俊嶸叫小閔，這大概源於後者身上的學生氣。小閔應對壓力的方式堪稱笨拙。作為漆器工匠修復古琴，被議論「不會彈琴能修琴嗎」，他便選擇拜師學彈奏古琴，進而學做古琴，通過這樣漫長迂迴的方式，他為自己獲得了修復古琴的資格。雖然他可以不理會議論，畢竟保護性修復只做表面漆層固定，不涉及琴音效果，「但修復原則是，必須水準到了，對這件器物瞭解，包括從認知上，從工藝研究上，從修復水準上，都要到一定水準然後才去做。」

為瞭解大漆，小閔跟房山的漆農一同去採漆。三伏天割取的漆液質量最佳，且必須在日出之前採集，在太陽升起之前的五個小時內。一個漆農大概能割六十棵樹，忙碌一晚上可採漆八兩，「百里千刀　斤漆」，一斤漆中，有深夜的勞作，還有失足跌落山崖的風險。他和漆農共同經歷了勞作與風險，現在，這一桶半透明的生漆對他來說，變得有溫度。利器美材，是工匠的底氣，他用心和身體共同理解它們。

一趟趟地上山，一張張地斫琴，小閔由美院培養出來的藝術家思維，轉向工匠思維。他開始為自己也曾覺得「太醜」的清代工藝品辯護，因其工藝水準之高超幾乎無法超越。同為工匠，「就覺得你先追上它們的工藝水準，再說別的。」相比於跳躍發散、講求創意觀念的藝術家思維，工匠思維是立足於地的老老實實，是在意每一件物品的手感，是面對文物如履薄冰的謹小慎微。藝術家要性情張揚才能有觀念上的突破，而工匠對文物的虔敬之心日益成為職業性的謙恭。所以不是所有送來的文物都能修，「不能修的我就不接。」

「可以巧手以做拙作，不能庸工以當精緻。」《髹飾錄》中這條工藝原則，最好地概括了匠人原則。好的工匠，一定是通過笨拙的學習之道成長起來，其間絕無捷徑。因為尋求捷徑的投機在路的起點已被屏棄。閔俊嶸的這條道路，也是許多和他一樣美院畢業做文物修復的年輕人的必由之路。

同時，職業的敬畏與謙恭滲透了他，變成他生命底色的一部分。小閔有公認的好人緣，這從大家叫他「小閔」也能看出來。他說自己的師父為人守規矩，很少去麻煩別人，但是別人有需要幫忙的話很熱心。聽到的人脫口說：「這不就是你嗎？」你知道，自己有麻煩可以尋求他的幫助，但也知道，面前這個微笑的書卷氣男子絕不是毫無原則的老好人，溫而厲，恭而安，大概就是這樣的氣質。

從生活中來，覆蓋中國人生活各個領域的漆器，伴隨著晚清國力的衰落而式微。曾經，從杯盤碗盞到佛像古琴，從日常生活到皇室奢華，漆器無處不在，其工藝在明清兩代登峰造極，隋唐時傳入日本，對後者的漆工藝產生極大影響。如今，漆器在日本人的生活中還經常出現，在其發源地，中國人的日常生活中卻早已缺席。漆工藝變得極為小眾，大部分人會將其與化學漆混為一談。作為一門冷門技藝的從業者，故宮的漆器修復師，每個人都有向別人解釋自己到底是做什麼的經歷。

對於手藝人閔俊嶸而言，通過格物致知，他一點點褪去年輕人面對世界的茫然，在這個物質世界找到了自己安身立命所在，「我的人生目標是希望等百年以後，我做出的器物還能傳給下一代。」器物的世界，安靜而誠實；對於社會人閔俊嶸來說，他也希望能實現自己的社會價值，為漆工藝的復興做一點事。

古琴通過彈奏者發聲，彈奏者成為器物的一個通道。文物通過修復它的人說話，閔俊嶸的話，讓人聽到漆器歷史的聲音。大漆中有技藝，也有記憶。

6-2

希望我做的器物能傳給下一代

閔俊嶸

我是中央工藝美院畢業，漆工藝專業。當時我考藝術院校時就考中央美院跟工藝美院這兩個。中央美院我考的是版畫，工藝美院這邊就順帶考。之前複讀兩次，報的都是陶瓷。第三次時，一個同學說別報陶瓷了，咱一塊兒學個漆藝吧。那時根本不瞭解漆藝。就像我學藝術一樣，當時重點高中沒考上，我家附近有個美術類職業中專，就走上了藝術道路。學漆藝也是很偶然，這就是人的命運。

大一時接觸漆工藝，鑲嵌、刻漆，覺得沒啥意思，刷好漆往上刻，跟版畫差不多，但又太工藝了。我們那年工藝美術系剛成立，把漆工藝跟金屬工藝兩個系合併在一起，增加了一個纖維藝術，一個首飾專業，大二有同學說別學漆藝了，去學纖維藝術吧，那

個老師挺好的。清華鼓勵學生轉院系，選自己喜歡的。我就去讀纖維，去了發現越走離藝術越遠，當然老師對我特別好。然後又接觸到漆藝的常老師，他原來畫油畫，後來留校教漆工藝，因為他，我發現漆藝完全可以走向純藝術。不行，還得回去，還學漆藝。但是對纖維的林老師到現在都很內疚，因為老師對我很好。那也沒辦法，我從一九九五年學美術，到二〇〇〇年考上，花了五年時間，我不能為了老師而違背自己的內心。

畢業來故宮也很偶然。在學校布告欄上看到有招聘資訊，我就問老師，老師我是去故宮，還是找個學校當老師？留北京的話就是中學老師，或者到地方美院教漆工藝，那時各個學校都在開工藝美術課。老師說你去故宮吧，故宮挺好的。就是每一步，學藝術，學漆，然後來故宮，可能就是命運的安排。

我是二〇〇四年來，跟師父學了八年，直到他二〇一一年退休。師父為人很守規矩，很少去麻煩別人，但是別人有需要幫忙的話很熱心。領導安排什麼那就準時完成任務。幹活不惜力，有一年做裱畫的案子，他去刷大漆，案子非常重，抬的時候把腰給閃了。

漆器的歷史在中國非常長。浙江省博物館藏了件朱紅漆碗，七千年前出土。據此推算漆工藝可能更早，因為那時已經用紅色顏料了，純生漆肯定會更早。明代有一本漆工藝專著《髹飾錄》，黃成寫的，裡面記錄了十四大類，上百個品種。

科技部漆器組跟清宮造辦處的確有些淵源，這種傳承在清末的時候斷開過，當時皇室都散掉了。但是這些人離開皇宮以後，包括他們的後人，以及原來給宮廷提供材料的，民國時他們就在東四、崇文門這一帶開古玩鋪，比如繼古齋，畢竟漆器東西不少，也有宮廷流出去的好東西，上他們那裡修一下，修老東西同時自己也做一些。這些堂號在五、六〇年代的時候還有。

五〇年代初，院裡比較重視修復，成立修整組。漆器修復這塊，是從這些古玩鋪、北京的雕漆廠裡抽調了三個人，比較有名的叫多寶臣。老先生是經過王世襄先生推薦，到故宮來做漆器修復的。我看多寶臣的檔案，他和他愛人上一輩都是做漆器的，也做漆器修復。如果往上追的話，跟清宮造辦處還是有淵源的，很可能是造辦處工匠的親戚或下一代。我們把他們算成第一代。三位老師傅從六十年代開始帶徒弟，其中有楊玉珍、陳振聲，那是第二代。我師父叫張克學，是第三代，陳振聲的徒弟。我們是第四代。

六〇年代的時候，修整組裡大概有十幾位老藝人，他們共同修復了太和殿龍椅。這個寶座故事比較長，還得從袁世凱說起。袁世凱復辟之後，他要有新的氣象，移走原先寶座，自己做了一個寶座，椅背特別高。一九一五年放上去，一直放了三十多年。到六〇年代，朱家溍先生受命恢復太和殿的原裝陳設。他就開始找一把合適的龍椅，換掉袁世凱的寶座。找了好久，有的小，有的風格不對，有的工藝水準不到位，最後根據一九〇〇年溥儀的一張老照片，在一個庫房裡找到了一把殘破的椅子，工藝風格是明代的寶座。木器、漆器、金屬不同工藝種類的十幾位老師傅，從一九六三年開始修復，一九六四年的九月完成。

我沒聽師父提起這次修復的細節，因為隔了兩代。我也很感興趣，有時候我去木器組找老師傅們聊，就想知道那個寶座修之前是什麼狀態，然後一看老照片，修復前就是一堆木條，斷壁殘垣那種感覺。現在這個寶座，那種氣勢很壯觀，前後對比確實震撼。這些老藝人，老前輩，他們的修復幾乎是天衣無縫，很難發現哪些部分是新的、哪些部分有色差、雕刻風格有差異，水準非常高。

龍椅的工藝跟屏風，包括地臺的雕刻部分，工藝都是金箔罩漆。金箔罩漆在宮廷中應用較多，太和殿、乾清宮、皇極殿裡的寶座屏風系統，基本都用金箔罩漆工藝。而且金箔罩漆是整體的，整個寶座、龍椅、屏風，全部在木胎[27]上做地仗層，做保護，做底灰，灰胎[28]做完之後髹底漆，然後髹金膠漆，之後就是整體貼金箔。金箔為赤金箔，含金量約為百分之九十九，相當於現在的K金。金箔薄，容易磨損。而且這種金色太亮，整個大殿，黃金顏色的龍椅和黃金顏色的屏風，太過刺眼，所以最後有罩金髹工藝，在上面罩天然大漆。天然大漆本身就是半透明的棕色，罩上去之後形成堅硬漆膜，起保護作用，另外壓住金色光澤，使之有種薄光內斂之感。即使在宮廷裡面，金箔罩漆也是高級工藝，並非應用於所有傢俱。等級略低些的傢俱和龍椅，是整體髹金，或局部描金[29]。

師父是七〇年代來的，七幾年記不清楚了。他喜歡雕刻。漆工藝種類很多，其中雕漆[30]在院藏文物裡數量較多，且製作週期長，工藝複雜。師父側重和擅長修復雕漆。他對雕刻藝術癡迷，自己也刻章。這些老師傅退休後，很多院裡都會返聘。他退休時就跟他商量，但他要在家看孫子，他在昌平有套房子，週末還要去幹雕刻，做作品，他就不來了。

所以我們漆器組是平均年齡最年輕的，因為我們師父退休了。師父剛退的時候，我特別有壓力。之前一直有師父在，有什麼事師父能指導一下。剛退的時候確實這種感覺比較強烈，現在慢慢也在適應。

我二〇〇四年來，趕上二〇〇五年故宮博物院建院八十周年院慶。有一個展覽叫中和韶樂，有編鐘、編磬、琴、瑟、笛、排簫、笙等十多種樂器，件數很多。二〇〇四年就開始往這兒送文物。師父說，從來沒見過這麼修文物的。以前宮廷部、器物部有文物

---

27 木胎，大漆是液體，需要塗在胎骨上，胎骨材料有木、竹、皮、藤、金屬、陶瓷等，其中木胎最為普遍。——《大漆中的記憶》，國家圖書館出版社，二〇一三年。

28 灰胎，做漆器底胎的粉末狀填充物，用角、骨、蛤、石、磚、瓦、瓷等研成的細粉末，與膠、漆、油調和後塗在胎骨上，構成漆器的「肉」。——《大漆中的記憶》，國家圖書館出版社，二〇一三年。

29 描金，又名泥金畫漆，金箔加膠水以手指研磨成金粉，此為泥金粉。描金是在器物上用筆蘸漆描畫，然後用絲綿團蘸泥金粉，著在漆器上，以露出泥金花紋。——《中國漆器全集》，福建美術出版社，一九九五年。

30 雕漆，又稱漆雕、剔紅、剔黃、剔綠、剔彩、堆朱、堆漆，雕漆中尤以剔紅為最多。製作方法是在已做好的器胎上層層髹漆，達到一定厚度時，按所需圖案雕刻花紋，紋飾有浮雕效果。——《古代漆器》，吉林文史出版社，二〇一〇年。

交接，都是推個手推車，兩個人送過來。但是那次不一樣，一部卡車直接一車拉過來。

科技部有輪轉制度，新人進來，到每個科室待上一兩周，熟悉一下。當時大家都在轉，我轉到實驗室時，裱畫、摹畫、鐘錶、木器還都沒去過，師父打電話說要不你回來吧，咱這兒的活多。我趕上了這批文物的修復。師父帶著我們集中地去教。就是我做每一步，師父都會來指導。基礎工藝我瞭解，但是修復這裡面的操作規程，一些經驗技巧，這是需要師父來教的。當時修過一件瑟，所以之前迎接建院九十周年慶時，我選了一張最破的瑟，破得亂七八糟的。就要這種對比效果。一個同事說這修完了是什麼效果，想像不到。我能設想出來，因為我修過。

基礎功要練多久因人而異，現在部門規定是第一年不動文物。比如說我們組的幾個新人，都跟我一個系，比我晚畢業，他們有工藝基礎，一年以後差不多能上手了。漆工藝這個專業算是科技部裡最對口的一個專業。像木器那邊，他們學雕塑的，沒有做過傢俱，就得從磨刀開始。我來之後做雕漆，這個工藝在學校裡也是從做刀開始，素髹、描金這些都學過，沒有問題。

如果沒有工藝基礎，比如原來是畫畫的，或者學其他專業的，學這個就很慢，因為沒有那個手感。我是二〇〇四年來的。故宮招人從二〇〇四年開始以本科、研究生為主，從前兩年開始以研究生跟博士生為主，但也不是絕對的，本科生有優秀的也可以。特別像工藝美術、藝術類，因為本科生比研究生畫得還好，研究生可能原來是學歷史。實際上他跟本科生比水準不見得好，博士也一樣。

院校他注重的是創新，讓你思維開闊，是往藝術家方向來培養的。在美院裡頭，說匠人是罵人的，說畫得匠心，是說你畫得緊，畫得板，你的東西沒有新意，就跟匠人一樣。但現在咱們說的匠人精神，跟那個匠人是倆概念，重點在精神，而不在匠人。在美院的時候，我也看不上清代工藝品，覺得它們太醜了。後來真正接觸到這些器物，看到它們的工藝水準，感到幾乎無法超越。就覺得你先追上它們的工藝水準，再說別的。

文物修復是一個特殊的行業，師承制很重要。即使我是學漆工藝的，我來了之後也必須有師父帶。要不然給我來個文物，可能描金工藝我學過，但是我不知道怎麼修。修復有它特殊的操作流程跟要求，修到什麼程度，用什麼材料，怎麼修，你學過工藝基礎沒用，必須從頭來，必須有師父帶。如果沒有老師教，那是 件很可怕的事情，你連拿

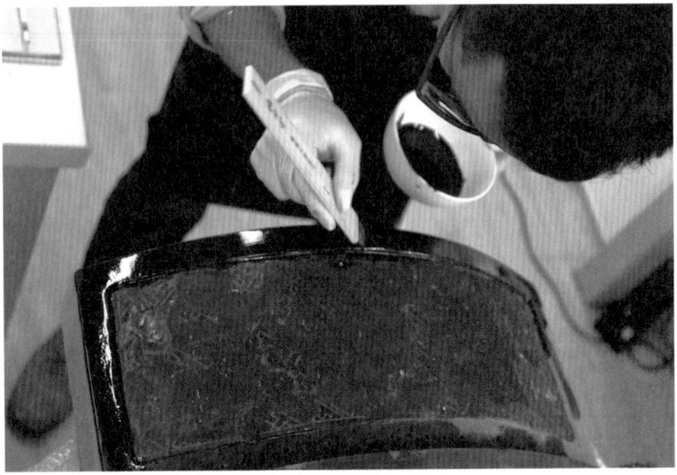

上：閔俊嶸正在為古琴上漆
下：煉製後的生漆

都拿不好，有可能掰碎了。首先你要保證文物安全。操作中會有很多細節的要求，就是你要排除隱患，保證安全的前提下，按流程、按要求去做修復。修復的過程是經驗積累，這個經驗也是一個寶貴的知識，這也是課本上學不到的。

所以，想把文物修復的技藝傳承下去，師父帶徒弟是必不可少的。但是現在有一種情況，就是師父是高中畢業，徒弟是博士後；或者師父是本科，來的人是研究生、博士生。師父帶徒弟，雙方都要願意才可以，有一方不願意就帶不了。你認同師父，說師父水準挺好的，我願意跟你學。師父一看，這個新同事也挺好的，不錯，能相處。起碼得能相處，脾氣趣味相投，然後部門的安排，這樣就好辦。也有指定師父的，師父根本不教你，不喜歡你，看不上你，你一身毛病，怎麼教你。這樣的師徒關係就名存實亡。所以，學生要有求學心態，當師父的也要有責任感。

師承制不像大學課堂，你到時間，一定會有老師進來上課。有些師傅不會主動教你理論，本身他不善言談，他就是手藝好，但帶著你幹就是一種教法，最直接的方法，那叫手把手。你幹活他就跟你說怎麼幹，但是你要讓他講理論，本身就沒有，有些東西也總結不了。因為感性的東西語言有時候表達不了，你看一下就明白了。這個領域裡，確實不是純書本知識。

其實做每一件漆器修復的時候，都面臨挑戰，就是工藝上的挑戰，還有就是它的傷況，每一件文物傷況都不一樣。很重要的一點，你要開動腦筋去創新。

最難的是色彩。漆是從樹上割下來的一種樹脂，採下來之後它是白的，氧化之後它就逐漸變紅，變棕，深棕。經過提煉，變成半透明的棕色。在氧化乾燥的過程中，它的顏色就從來沒有一樣過，同一批漆，或者同一碗漆，上午刷一次，下午再刷一次，乾燥之後那顏色都不一樣。而且它在乾燥之後它還會變色。所以用天然漆做修復時，你想把色彩調到一致是非常難的，那純粹就是一個經驗。

你要控制效果，你修復的部分要想跟原瑟一樣，你要比它略微深一點點。這樣的話，可能兩個月之後它乾透了，或者是一年以後，它那個顏色才能達到平衡。要不然你現在修的部分跟它顏色是一樣的，可能過了半年之後它就變淺了。但是太和殿龍椅就近距離來看也幾乎看不到有色差的地方，對我們專業的人來說，這個修復水準是非常非常高的，已經到頂級。

我們漆器修復比較特殊，跟師父的八年，包括到現在，以及以後很長一段時間，我們一直處於一種學習的狀態。因為漆工藝裡面，工藝種類太多了。我本科學的漆器工藝。到單位之後，發現我們學的只是一個工業基礎，或者是單一的素髹工藝，器物造型。在這兒，我們面對的就是清宮造辦處，包括皇帝們，乾隆雍正收藏的歷代的器物。不單單是某一種工藝。你說你工藝水準還可以，來了一件雕漆，那你要研究雕漆工藝，帶了描金的，就要研究描金工藝。所以這種學習壓力一直都有。

我們科技部修復有一個特點，我們是一個團隊。比如說這件器物，最開始木結構的修復是請木器組的老師傅們來修。修完之後，拿到我們這兒做漆工藝的修復。如果器物上有鑲嵌，我們再轉到鑲嵌組。上面還有金屬工藝的話，就到有亮老師那兒去修，整個就是一個修復團隊。

一件器物到我們這兒之後，先做傷況紀錄，用文字、圖片記錄它修前的狀態。然後對它做一個工藝分析，分析它原來用的是什麼工藝。我們有　個實驗室，有學化學分析的同事，他們把殘片包埋在樹脂裡做一個剖面，用顯微鏡觀察。你能看到這個灰胎的層次，裱的是麻還是布，上面髹的漆、貼的金，不同的層次看得非常清楚。還能再進一步檢測，古人做這件器物的時候，他用的是什麼成分，什麼材料；貼金是用了朱漆還是透明漆，表面漆有沒有經過修復，修復了幾次。層層關係很明確，對修復提供很大的依據。接著是做修復工藝的實驗，比如缺了，我們要補灰胎。比如說它是雪蓮灰，我們先在旁邊做一個樣本，刮出來看它的硬度跟原件是不是匹配。確定跟原件能保持差不多一致，再開始比較細的修復步驟。

咱們的修復原則，其實最主要的有幾個，第一就是「修舊如舊」。這個原則包含兩個層面，第一個比較好理解，就是視覺效果，修的地方跟原來一樣，你都看不出來，修得特別好，這就是視覺效果方面。另一個是指用原來的工藝，用傳統工藝來做修復。我工作之後，跟西方博物館有業務交流，修復方面也有交流。二〇〇五年在太和殿做那個修復實驗，東方跟西方的修復理念還是有差異的。他們強調「可識別性」，修復的部位要讓大家能看出來。咱們講的是一定要統一了，一般人看不出來；他們講「可逆性原則」，就你修復的地方，如果不滿意，這些材料是可以除下來的。但是在咱們這兒是沒有這個原則的，為什麼呢？只有你具備這個修復能力，才會去做修復。如果你五年、十年以後，你覺得修復水準又提高了，再把原來修復的地方給剔除，這樣對文物肯定會有損害。所以我們要求修復一定是有自信的，你水準到了再修。如果水準不到呢，我們就把文物先放一放，先不要去動。

實際上，平時跟業務部門交接，不是每件文物來了之後我們都能修。不能修的我就不接。因為漆工的種類多，清宮藏品細分的話有幾十種。以前有石灰的櫃子，那個我們就修不了。工藝種類多，一個人經驗再多也可能遇到沒遇到過的東西。

前一段時間看到我二〇〇五年的工資條，一千四百七十元人民幣。就算是二〇〇五年，你要在這兒工作，白天上班，然後還要租房，還要吃飯，還要通勤、打電話、水電費，在北京生活，十年前一千四百七十元也是一種考驗。當時我師父講，我也理解這個事情，就看你能不能坐得住，你是不是真正的喜歡。

一般人聽說我在故宮，會感覺這是一個好地方，裡面挺神祕的。然後會問你是做什麼的，做修復，那挺神奇。你做什麼修復？做漆器修復。漆器是什麼？學美術的大部分都知道，但不是這個圈裡的人就不太清楚了，你要再給他講漆器是什麼東西。隨後會問，這東西這麼偏這麼冷，你怎麼搞這個。每次碰上新朋友的時候，就要解釋一遍，還挺有意思的。確實，漆專業是很小的一個專業，高校開這個專業的非常少，學生也非常少。然後能去做修復的，那只有這幾個人了。其他地方的博物館，有些做保護的，但是沒有做傳統工藝修復。所以我一直說，能在故宮做漆器修復，對學漆的人，是非常幸運的一件事。

畢業的時候，我們班上四個人，其中一個要回學校當老師，一個改行幹別的了，第三個女同學去法國留學，一直沒回來。我自己的選擇，不一定是最好的，但是我最喜歡的。從專業的角度，這也是最好的選擇。來到故宮博物院，我覺得是一個學習的過程。過了三、五年以後，到現在第十一年，我一直有這樣一種感覺。來了之後，師父教我修復，接觸不同工藝。我們接觸到的是清宮造辦處，還有各個地方的進貢，包括日本，包括歐洲進貢的器物。清宮舊藏裡面這些器物，東西最多，水準最高。不來這兒，你永遠接觸不到。如果作為研究和學習來說，這裡是一個工藝美術的殿堂，是一個藝術的殿堂。特別是漆工藝，是其他博物館沒法相比的，如果要學習，這是最好的地方。而且我們有一個優勢，有同事做分析，我們對這工藝就能從裡到外給研究透了。做修復的時候，我們有這麼強大的一個團隊。就一件器物來說，我們現在可能修復不了，但我相信經過努力研究、實驗，每一種工藝都可以被攻破。而修復後，一件器物由殘破到完好的狀態，這種喜悅及成就感是無可比擬的。

我們同學有辦考前班的，收入很高。人的價值取向可能確實不太一樣。我不認為我們這個行業就沒有發展。去年有一個算是同盟，他在日本讀了一個博士，漆工藝的，我挺想讓他來，日本工藝這塊兒，我們有他肯定這塊兒的工藝水準會提高。但他就是受不了這種體制、這種管制，最後就沒來。特別對於學藝術的人來說，一聽說要週一到週五坐班，早上八點鐘就要到，之前有幾個確實是因為這個才不來。

我倒是一開始就適應，可能跟性格有關吧。我們科技部招人，包括故宮博物院招新人，其實很看重這個人的性格，跟你聊天面試的時候，這個非常重要，不一定是水準要最高的，但一定要性格穩定，能坐得住，然後把安全放在第一位的。

對我來說，還有我那個師兄，我們還是很幸運的，有老師傅帶。但是對現在新進來的同事來說，他們就比較尷尬。因為我們年紀差大概十歲左右，還沒有到一代人那種感覺，像師父帶徒弟那種感覺已經沒有了。對他們而言，面臨的挑戰會更多一些。不僅是我們漆器修復，其他的像鑲嵌組也沒有老師傅了。院裡規定，副研究員以上，其中一項工作任務就是帶新人。培養，特別是漆器修復，一定是手把手，在修復過程中來指導、來進步。它也是一個修復經驗的總結。然後新入職的同事我們一塊工作，一邊總結經驗。另外有一種形式，因為我們任務很重，不可能派出去學習，「平安故宮」工程裡面的一個培訓計畫，可以讓我們有半年到一年的時間脫產　，然後到工藝美術大師、老藝人家裡或作坊裡面，或者去其他博物館，或者把大師請到咱們這兒來，咱們來合作修復。修復過程中，年輕人可以跟著學。因為工藝種類很多，我們可以逐個擊破。但這還沒有執行。必須得創造機會，得想辦法，想不同的辦法。

漆器跟其他器物不太一樣，它特別容易損壞，因為日用過程中總有磕碰。它下面是木胎，上面是髹漆，雖然有地仗層跟這個裱的麻布的保護，但是像北方的這種天氣，除非你放在恆溫恆溼的地方，只要是在地上，冬天乾燥，夏天潮溼，在這種一脹一縮的過程，木胎跟髹飾層，漆就容易開裂。開裂之後，就是長年累月的侵蝕，殘損。所以我們的修復任務，確實很重。任務重，機會就多。

《髹飾論》裡講了一條修復原則：「可以巧手以做拙作，不能庸工以當精緻。」你是高手，修一個水準低的器物，可以；但如果你水準不到，修一個非常精緻的器物，就容易出問題。當年修琴我也遇到這個問題。我修的第一張琴是「萬壑松濤」，我是學漆工藝的，但是古琴是樂器，在修復的時候，就有人會質疑，不會彈琴能修琴嗎？真有，就在院子裡，這都是師父告訴我的，師父也有壓力。實際上是沒有問題，因為我們是做保護性修復，對它的木胎結構是不做處理的，只做表面漆的固定，跟藏家做修復不一樣。但那也不行，你等於是沒有修復的資質。我們要面對修復完的展覽。作為器物，故宮藏的這些琴，都很有名，唐宋元明清歷代都有，整個琴界，大家來看展覽會看到你的修復成果，你怎麼能讓他們放心？

修復原則是，必須水準到了，對這件器物瞭解，從認知上，從工藝研究上，從修復

---

31 在中國，「脫產」指的是工作後脫離工作生產崗位，在校內進行全日制學習的一種成人高等教育。

水準上，都要到一定水準才去做修復。後來我沒辦法，就學習彈琴。在外面先買琴，學彈琴。彈琴過程中，老師說你既然懂工藝，又能接觸到好的老琴，其實可以自己做一做。就找老師去學習做琴，當我把我自己製作的古琴髹漆拿出來給大家看的時候，大家說可以，你修琴沒有問題。這時候再做修復就會比較有信心。

我學琴也是機緣巧合，別人介紹的董春起老先生，教古代漢語的，但是詩書畫印都精通。他說你問我什麼玩得好，我的詩排第一，詩寫得好。我剛認識董老師時，他給我寫信，寫完之後就可以裱起來掛上。他也彈琴，還是票友，京胡拉得特棒。然後自己搞篆刻，篆書寫得很棒，刻得也有味道。學琴我覺得也是師徒，要選擇一個趣味相投的。如果你對老師有意見，說這人的人品有點問題，那你肯定不會跟他學的。

董老師很隨和，但是如果不投緣他就不跟你玩了，挺講究的。他就說你也別那麼正式地跟我學。我認識他的時候他已經六十多歲了，今年八十了。但是他精神矍鑠，拿著扇子到處跑，身體一點問題都沒有，眼也不花，很厲害。他說你也別正式地學，弄得咱倆都累。你想來就來，也別交學費，你就來我這玩兒。這種玩著學確實好，但不是正式交錢來學，所以我琴其實彈得不好。

其實想做好琴，想彈好琴，都很難。學琴入門是很簡單的，但是想彈好，首先是需要一定天賦，最主要的是你要投入時間。我喜歡彈琴，但是我沒有投入，沒有超越我對器物的熱愛。

不同的板子做出來的琴風格不同，我其實都喜歡。比如說建築裡面的老杉木，它追唐琴、明琴的聲音，松濤那種聲音，聲音蒼古；墓葬裡出土的木頭也能出那種古的聲音，而且可能是心理作用，它確實有一種不一樣的感覺；另外一種是梧桐，傳統做琴的、故宮裡面的琴應該是用梧桐，梧桐又叫青桐，整個樹幹全是綠的，長得很慢，它的纖維結構跟杉木不同，振動非常好，而且木頭偏硬，再加上斫琴的工藝，它出來的聲音細膩、沉靜、婉約，是另外一種感覺。

以前咱們庭院裡邊都種這種梧桐，倪瓚家也種，倪瓚是元代的畫家，有潔癖。去年在澳門有一個漆器展，有件文物就叫洗桐寶盒，雕漆的，畫面是倪瓚洗桐的故事。傳說，倪瓚家來了客人，喝茶聊天，客人散去之後，他聽見那客人在外邊吐了一口痰，他受不了，客人走後，他讓童子拿水、水桶、布，開始洗這棵桐樹，樹幹、樹葉全洗，就說他有潔癖。從畫面裡看，它的畫面那種意境，個人性格的寫照特別明顯。他洗的桐就是這種梧桐，你看這個洗桐寶盒上的樹葉，跟咱們看這個樹葉完全一樣，都是梧桐樹。這種樹很少，現在綠化都不用它。那邊還有一棵楸樹，楸樹跟梓樹合稱楸梓，梧桐做琴的面板，梓木做底板，就是天作之合。

古琴主要是用鹿角霜調漆做灰胎，鹿角霜就是鹿角，一味藥材，鹿角在鍋裡面熬，熬出膠質，凝固成霜，打碎混漆。高檔的器物裡面就是用這個鹿角霜。古琴整個上面那一層灰胎都是鹿角霜。鹿角霜是管孔狀的，漆能進去，進去後它強度會比較大，有好多老琴表面漆都磨沒了，但是灰胎還很硬。當然也可以混別的，也可以做瓷粉，也可以做八寶灰，象牙、玉、珊瑚、瑪瑙，搗碎了混進去，這是王琴的特徵，但聲音不一定有多好。

聲音跟木頭的材質、結構、灰胎、琴弦有關，最後是你彈得怎麼樣。良材，材料好；善斫，工藝好；妙指，你彈得好；正心，人好才能彈出好聲音來。一個殺人犯泡的茶肯定不好喝。古琴使用的木頭是非常講究的。要是官琴的話，宋徽宗斫琴肯定是講究的，一般會用老木頭。宋代就摹古，就是找唐代的味道，用唐代的木頭做。現在就用明清的木頭做。一塊木材鋸開，要放在水裡分出陰陽。分陰陽主要看材料的密度，陽材就是樹朝陽的這一面。陽材長得快，疏鬆，陰材長得慢，更密緻。為了平衡，陽材你就要留厚一點，因為它密度小。陰材比較硬，密度大，你就相對要薄一點。

有一種琴叫純陽琴，就是面板跟底板是一種；如果分陰陽的話，那肯定是底板用陰材，然後面板用陽材。底板要反射，要求密度要大。做純陽琴肯定是要分陰材、陽材的。分陰陽是很講究的做法。現在我要有一塊明代木頭已經是非常好了。

古琴要掛起來，還要經常彈比較好。到目前為止故宮的琴還沒有被充分地利用。我們修完之後，會上弦，然後看一下弦路怎麼樣。但是我們能不能彈古琴，這個不好說。現在就差一個權威的人，說這琴就得彈，不彈不行，沒有振動。如果用外面老琴家的話說，不彈就死掉了。經常不彈的琴，拿過來要醒琴，要彈一彈讓它振動起來，活起來。但是博物館比較特殊，它主要職能是保存、保護，然後展覽、展示，它是這個功能。能不能彈，不好說。沒有這方面的規定。比如浙江省博物館，二〇一〇年做了一個音樂會，就拿館藏的唐琴，然後請來琴家做的音樂會。那是有人來做這件事情，人家來承擔這個責任。彈文物也是有風險的。故宮的話，我也希望有一天這琴都修完了，其實也可以做這種利用。因為這是學術性的，目的還是為了文化傳播。

琴確實有生命，一件漆器，古琴，當你做好之後，從早上到晚上，一年四季它都在不斷地呼吸，跟人呼吸一樣，它脹起來了，呼出去了它就縮。它會變化，這個琴一直是變化的，這麼變化、那麼變化。所以有些琴為什麼要掛著呢？因為你放在那，琴弦繃著，這麼用勁，可能會塌腰，琴會變形，掛著就好得多。不彈的，長時間半年你出差不彈，這琴不用了，要把琴弦給鬆開。你放琴也不能隨便放。就放在那桌子上，空調正對著吹著琴的話，三、五天它就裂了；它怕風吹，怕乾燥。因為木頭隨著外面溼度變化，它含水率會變高，一高它就脹。

斫琴最難的，還是對琴整體的把握。一張琴從兩方面考究它，一個是器物，一個是聲音，要達到完美很難。從器物的角度來說，想完美已經很難，但是我在不斷地接近這個目標。聲音比較複雜，一個是它受制於材料跟工藝，另一個就是大方向的審美角度不一樣，可能我的這個想法變了，我做琴就會改變。比如說裡面有唐代的厚重蒼古，宋代的婉約亮麗。琴在聲音上也可以這麼分，琴有九德，「奇、古、透、潤、靜、圓、勻、清、芳」，還有二十四況，在審美的角度裡是互相衝突的。不可能一張琴九德全都兼備。斫琴的人他自己有審美，你就往這個審美的方向去努力，做到完美就可以了。他做的琴不可能所有的人都喜歡。

我不會再改行了。為什麼?有兩方面，一方面，比如說單一的一種工藝，想要達到最高水準，達到登峰造極，達到遊刃有餘的水準，那可能需要一輩子。比如雕漆工藝，就一種工藝，你就需要好幾年，一輩子的經驗。而我們面對的是幾十種工藝，特別是乾隆時期，會把雕漆跟螺鈿金銀平脫放在一起，外面邊框是紫檀包鑲，百寶嵌跟描金放在一起，就是一件器物上有幾種工藝的複合，這在髹飾裡面叫斑斕。這種器物的水準，我們看了之後，如果想超越它，需要花很多很多精力，只能感覺自己力不從心，感覺時間不夠用。就是這種感覺，所以一般不會覺得枯燥。說改行，沒有這種想法。除非是哪天，遇到過不去的坎。這工藝實在是太難了，精神被打擊有可能會。

上學的時候，包括剛工作的時候，生活的目標、人生的日標一直都不太明確。現在是逐漸地明確，在學琴以後不斷清晰。它對我的性格也有很大影響，讓人變沉靜。確實，做漆也好，做琴也好，彈琴也好，它是一種修心的狀態。古人講格物致知，你得研究這個東西，研究它其中的道理，然後誠意正心，心態要端正，目標要明確。然後是修身，在前面的製作研究的基礎上，修養心性，然後你的素質不斷提高。後面齊家，成家立業，娶媳婦生孩子，後面才有更大的發展。古人講這個人生的順序是不能亂的，前期肯定要格物致知，如果這個過程做不好的話，後面你成功的機率就沒有這麼高。所以工作這十年，其實一直處於格物致知的狀態。

修身養性是比較虛的層面，實際的、客觀的層面就是這種造物的技術。我學到了，然後再摹古，在學習古人的基礎上，我對古人造物有了一定的認識，然後又有了自己的想法及目標。我的人生目標是希望等百年以後，我做出的器物還能傳給下一代。

借助收藏品和繪畫，我幸運地進入了另外一個領域，就是漆傢俱。在宮廷裡面，我們從養心殿就能看到，好多器物下面都髹漆，就是紫檀花梨的，紫檀跟描金結合在一起，太美了，太妙了。但那是宮廷的，老百姓用不起。而在外面，我看到很素的傢俱，有明代的，甚至有宋代的，有些在宋畫裡才能見到的。我看到那種美，而且這種器物是跟生活息息相關的。也是當代的文人生活裡面缺失的，這裡面除了文化方面，也有商業需求。如果有商業價值的話，它就有復興的可能。

人的價值有兩種，一個是個人價值，一個是社會價值。個人價值中如果做到位，它本身是有社會價值的。社會價值，拿當前工藝美術的發展狀況來看，漆工藝還處於一種沒有發展好的狀態，因為過去這一百年沒有太多的有利條件。現在有很多有利的條件，從經濟基礎上、從輿論上、政策上，都是支持的，它是往上走的一種狀態。而恰恰漆工藝跟生活又是脫節的。為什麼敵不過西方化學漆、合成漆？當然人家材料有人家的特性，有長處。但是漆工藝完全可以迎來一次復興。談到個人的社會價值，我希望能在這方面做出一點成就。

尾聲

北方老輩人喜歡住平房小院，「接地氣」。和小院裡歷經百年、生機勃勃的杏樹一樣，這些工匠也「接了地氣」，擁有一種狼煙滾滾的外面的人所沒有的悠長節奏。西三所的小院像一個雜居的四合院。很顯然，在這裡上班的人們之間關係很好，那樣的放鬆和溫暖有一種異於現代社會的人情味。這大概，也是接了地氣的緣故。和鋼筋水泥的辦公大樓相比，故宮修復師們的西三所像一個平靜的桃花源。

而走在故宮風雨侵蝕、坑窪不平的磚地之上，看著宏偉的建築，歷史感油然而生，那時，我們的心情應該是一樣的；週一故宮閉館，陶器組的紀東歌在空無一人的太和門廣場上騎著自行車迎風駛過，第一次這麼享受的，是愛新覺羅・溥儀。

二〇一六年，文保科技部將搬遷到另一新蓋樓中。這些修復師們將告別西三所，一個時代結束，代之以另一個時代的開啟：最近兩年，故宮每年約吸收四、五十名應屆畢業生。未來幾年，這個數字可能還會增加，屆時，故宮將注入更多的新鮮血液。五年後，隨著老員工慢慢退休，故宮將有三分之一的員工被替換為新鮮血液。包括屈峰、閔俊嶸、高飛、孔豔菊、陳楊、亓昊楠在內，這個日漸壯大的年輕人隊伍，將真正決定著故宮的未來。

跋

跟隨他們的旅程

綠妖

在故宮採訪這些修復師時，經常聽到一個字：「隨」。把顏色跟兩邊隨、把眼睛隨上……大致是說，修補的部分要跟原有部分顏色找齊，隨上，直到渾然一體，分不出哪兒是原件，哪些地方是後來所補，修舊如舊。

這本書，也是一本「隨」出來的書。看完第一集《我在故宮修文物》就決定接下這本書的寫作邀請。真正在故宮採訪我只做了一週，但這本書的資料夾裡，最早的採訪始於二〇一〇年。為拍故宮裡修復技藝的心口相傳，《我在故宮修文物》的製片人、清華新聞與傳播學院教授雷建軍帶著學生在故宮做田野調查。調研持續了五年，二〇一五年紀錄片開拍時，攝製組每個人拿到一本十萬字的調研報告。更大量的採訪發生在拍攝期間，導演蕭寒、葉君、導演助理程薄聞在四個月不間斷的採訪中累積了大量素材。我自己做的訪問，像一碗水一樣匯入這一條河流。但是，並不覺得陌生，也沒有突兀，看那些素材時，我經常覺得問得比我能想到的更周全，重要的是，我們是同一個方向，就像工匠，辨認出前任工匠的高超手藝並為之讚嘆，他需要做的只是「隨」上原有的工藝，原有的色彩。

「反正幹我們這行別偷懶，你幹的越少越不行。就得多幹，你沒悟性的必須得多幹，才能找出這個感覺來。」寫這本書的過程，對我而言是一次很好的學習，通過這些簡單樸實的大白話，匠人的世界呈現眼前。相比於跳躍發散、講求創意觀念的藝術家思維，工匠思維是立足於地的老老實實，是在意每一件物品的手感，是面對文物如履薄冰的謹小慎微。職業性的敬畏與謙恭滲透了他們，變成生命底色的一部分。

在敬畏與謙恭之中，他們用漫長的時間做一件事，雙手千百次的重複之後進入自由之境，於是，一道線，也有精神性，有力度和律動的變化。這是工匠的沉默的智慧，手上的開悟。

我的朋友經常抱怨說，現在許多品牌的服裝已經放棄了普通身材的女性，經常逛完

一條街也買不到一件剪裁合體的好衣裳。據說，因為中國推崇設計師而不重視打版師，但後者才能把設計師的理念變成合體的衣服，所以我們能看到大量的設計師，卻仍然買不到一件剪裁合體的好衣裳。我們的社會過分追求聚光燈下的光彩，卻忘了，只有土地裡的根莖足夠深刻，一棵樹才能開出繁茂的花朵。工匠是土地之下，看不見也被忽略的根。很有幸，我能近距離地看到這些一流工匠的工作狀態，聽到他們回憶自己的師父的點點滴滴。工匠的驕傲並不來自炫耀自己修過多少國之瑰寶，而來自更真實的器物，更具體的手感：這件文物我修過，我對得起它，我放心。他們的面貌沉靜安詳，是在世上找到了安身立命所在的臉。我羨慕這樣的面容。

書畫修復最關鍵是揭命紙，稍有不慎就會毀掉文物，有時須靠手指輕搓慢撚，撚成極細小條取下，一幅畫動輒要揭一兩個月，過程枯燥，技巧在此失效，只能拚耐心。寫這本書的四個月中，一遍遍聽他們的採訪錄音，從幾十萬字的資料裡「搓」出來這本書裡的十萬字，由暑熱難耐的伏天寫到寒冬將至，時常感到我也在搓著一張看不見的命紙，在枯燥而平靜的手感中一點點接近手藝人的世界，我為之喜悅。

ARROW
故宫专用

Essential YY0916

我在故宮修文物

主編

蕭寒

紀錄片導演，浙江工業大學副教授，畫家，主持人，戲劇製作人。執導作品有《我在故宮修文物》、《喜馬拉雅天梯》等，其中《我在故宮修文物》為二〇一六年中國最具影響力的紀錄片之一。

撰稿

綠妖

作家，獲第十一屆華語傳媒大獎新人獎提名。曾走訪台灣農村，採訪實錄《如果可以這樣做農民》獲「騰訊・商報華文好書」二〇一六年度評委會特別獎。小說《少女哪吒》被導演李霄峰搬上大銀幕，入圍第十九屆韓國釜山國際電影節「新浪潮」競賽單元。

攝影

嚴明

攝影家。七〇後，安徽定遠人，現居廣州。侯登科紀實攝影獎、法國「才華攝影基金」攝影獎得主。出版有攝影隨筆集《我愛這哭不出來的浪漫》和《大國志》。

攝影助理

陳卓

八〇後，生於河南，現居鄭州。二〇一五年中國十佳新銳攝影師，德國歌德學院東亞地區簽約藝術家，作品多次展出於各大美術館與國際藝術博覽會。

美術設計　陳文德
責任編輯　巫芷紜
行銷企劃　王琦柔
版權負責　陳柏昌
副總編輯　梁心愉
初版一刷　二〇一七年八月三日
定　　價　新臺幣三六〇元

ThinKingDom 新經典文化
發行人　葉美瑤
出版　新經典圖文傳播有限公司
地址　臺北市中正區重慶南路一段五七號一一樓之四
電話　886-2-2331-1830　傳真　886-2-2331-1831
讀者服務信箱　thinkingdomtw@gmail.com
FB粉絲團　新經典文化 ThinKingDom
總經銷　高寶書版集團
地址　臺北市內湖區洲子街八八號三樓
電話　02-2799-2788　傳真　02-2799-0909
海外總經銷　時報文化出版企業股份有限公司
地址　桃園市龜山區萬壽路二段三五一號
電話　02-2306-6842　傳真　02-2304-9301

我在故宮修文物 / 綠妖撰稿 ; 蕭寒主編. -- 初版. --
臺北市 : 新經典圖文傳播, 2017.08
304面 ;14.8x21公分. -- (Essential ; YY0916)
ISBN 978-986-5824-81-5(平裝)
1.國立故宮博物院(中國) 2.文物修復 3.工匠 4.傳記
069.82　　106008701

本書授權自《我在故宮修文物》簡體中文版
由廣西師範大學出版社出版
Printed in Taiwan